WORD

SEARCHER

Answers to this section on pages

45 – 56

1. TALKING BALLET

ASHTON
BALANCE
BALLERINA
BAR
BOLSHOI
CLASSICAL
COSTUME
DANCE
EXERCISES
FONTEYN
LEOTARD

MARKOVA
MIME
MIRROR
MODERN
NIJINSKI
NUREYEV
NUTCRACKER
PAS DE DEUX
PAVLOVA
PIROUETTE
POINT

POSITIONS
PRACTICE
RAMBERT
SHOE
SLEEP
STAGE
STEP
SWAN LAKE
TIGHTS
TUTU

```
L R F O E O H S A P T Y S S H E C R H D
H Y F C V E Y E R U H T T Q T I A D A K
H X A V O K R A M N C H Z T W B R H K H
I C G T Q A C O A V G B E E P A O R H J
H H E K K T N H D I E U N O T H S A O A
E N O P I S O I T T O U B O P L B H P R
I P L C C D T H R R A E E Q I A O O V R
E Z B E G E P I E I E H L E V K C S K E V
Z A R R J O B P P U L X N J O I N Q C T
I L N A P M A S T E E L T V T S D R H H
Z A I G A V R S H R N R A I J S U S A I
E N T R L Z O X C S U Y O B K A O U D J
L C F O D C H I V T I N E O A L Y L Z I
T E V V P E S I U A S Z G T U C B Y B H
O A H C I E A T Z S E K A L H A H S D S
S H E R S R E K C A R C T U H O U Q L K
D C Y T O H S L O B I R S G I I F K Y I
B Z T Y E W E Q S I X U E D E D S A P Q
```

ACTIVITIES
ATTRACTIONS
AWAYDAYS
BEACHES
BED
BOOKINGS
BREAKFAST
BROCHURES
BUNGALOW
CAMP SITES
CANALS
CAR RENTAL
CARAVAN
CHALET
CHILDREN
COACH TRIPS
DEPOSIT
FAIR
FORTNIGHT
GUIDES
HOLIDAYMAKERS
HOLIDAYS
HOSTELS
HOTELS
LANDLADIES
NO PETS
PARKING
REDUCTIONS
RESORTS
SEASIDE
SPORTS
STATELY HOMES
SUMMER
TENT
WEATHER
WEEKEND BREAK
WEEKLY TERMS

```
Q C T N R T T E L A H C O X
X A S B E Z O A Z M H J I Y
B R S N O I T C A R T T A H
Z R J D X S S Y A D I L O H
X E O G E E T C Z S Z L B K
A N S C Q P A R E E I H U W
L T T X H N O A O D P B N E
H A R R A U S S A P R N G A
O L O L M I R Y I E S T A T
S R S S D H M E A T H S L H
T I E E P A O K S G M A O E
E A R N K I F T I R W W W R
L F C E V A R N E A X L F W
S M R H S V T T Y L S M E H
L S D T I R Y D H E S E T B
F V S O O L A K I C K X O C
S F B F K Y D T P E A O A N
E R M E S P I R N B K O A S
I U E W G V A D E I K V C E
D W X M I U B R N N A D A H
A K V T M R I G K R Y E M C
L L C L E U S D A I U B P A
D A E A B G S C E M N I S E
N R K S Q K G S M S S G I B
A N S E M O H Y L E T A T S
L W I X B H E D R L S N E N
L U S N O I T C U D E R S E
T I H B V N U R M E K R P Z
A E A U S T E P O N F O N P
```

4

3. AWAY FROM IT ALL

Puzzle submitted by reader Mrs. H. Robertson, Leith, Scotland

ABANDONED
ALOOF
BANISHED
BANISHMENT
BOYCOTT
CASTAWAY
DERELICT
DESERTED
DISPLACED
ESTRANGED
EXCLUSIVE

EXILED
FORLORN
FRIENDLESS
HERMIT
HERMITAGE
HOMELESS
ISOLATED
LONELINESS
LONELY
LONESOME

OUTCAST
PARIAH
RECESS
RECLUSE
RETIRED
RURALIST
RUSTICATE
SECLUSION
SOLITARY
UNSOCIAL
UNVISITED

```
U S I T N O I S U L C E S E G K E G J B
P F J L K O D E A F B X D E T A L O S I
S S O E K Z S E G R N B D X B Y O E T G
R S S R T U L U T W E E A A T E N G T M
U F E E L A J O Z R N T N N X O E Z O T
R P H C L O C S N O E I I C I A L M C G
A X E O E D R I D E S S L R Y S Y H Y T
L R O Y M R N N T H S U E T E J H C O W
I F B S E E A E M S S O D D G D D E B L
S Q S S L B L E I I U I M T A E E D D H
T Y O E A A N E V R S R I E T Z L E O T
T A L N O T I E S P F M W I I Y I G F C
Z W I I C U B C L S R E S O M Q X N P I
S A T L V E T A O E E I Z S R M E A S L
H T A E A B C C H S V U J G E C R R O E
U S R N E E I H A N N K C D H I I T P R
I A Y O D X E V U S I U U K A E F S G E
C C C L W E N H R M T B N H R I P E U D
```

4. NAVAL DESTROYERS

Puzzle submitted by reader Mrs. L. Adamson, Eastleigh, Southampton

ACHERON
AIREDALE
BERKELEY
BRECON
CAESAR
CATTISTOCK
COSSACK
DAINTY
DARING
DERWENT
DIAMOND
ECLIPSE

ESK
EXMOUTH
FORESIGHT
FURY
HARVESTER
HASTY
HAVANT
HURRICANE
HYPERION
INTREPID
IVANHOE
JACKAL

JERSEY
KINGSTON
LOYAL
ORKAN
PAKENHAM
PATHFINDER
PORCUPINE
QUAIL
STRONGHOLD
SWIFT
VALENTINE
WHIRLWIND

```
D C C Y T N E W R E D K S C C W D J I E
W L O X G E N I T N E L A V H N E N K W
J T O S I H J X X F E E A I O R T M W N
Q I U H S Y U D R° T S K R M S R H A O O
K F F O G A T R V A G L A E E C B R O Z
A L L V M N C N R N W I Y P O K E C R A
Q A Y F K X O K I I D V I N C H T H K E
S K R X P I E R N A C D A O C H N J A S
W C L E R A A D T E D A T A G C B A N K
I A E E T D T V P S K S N I T P R C V T
F J P L Y S V H U A I I S E T O E C E I
T Y E T A W E L F T K E N I P U C R O P
H M S C R D A V T I R E T G S P O Z O R
P A P O H Y E A R O N L N N S W N T S Q
H U I S O A C R F A F D I H A T N X X U
Y W L L G F P X I B H U E K A V O D G A
N H C G N V Y I P A O Y R R U M A N J I
E H E Z Y E L E K R E B F Y U R M H V L
```

5. SHAKE DEM BONES!

```
A L U B I T A S X W S K F F J
Q H Q R E M N E B I V A G W R
A F I W I L L S H V L N Q V U
L B S P C C K N K Q H I E J M
S E C U I O F N P W T R A I E
B T V V I T R Y A A T E C C F
O N A I E D A S W E T A B I W
A L P L C S A R B A R E A Y W
C S T L R S O R S P J P L P P
E U J L X T A N A A V X U L U
N R V U A E H L X K L L P Q A
Z E U K I R S N F P X S A W X
N M I S B N W I O A G G C B W
V U Z I I U U V B H B D S X E
N H J M T M F T D C V B L B S
```

ANKLE
CARPALS
CLAVICLE
FEMUR
HIP
HUMERUS
ILIAC
JAW
NOSE
PATELLA
RADIUS
RIBS
SCAPULA
SKULL
STERNUM
TARSALS
TIBIA
TIBULA
VERTEBRAE

6. PLAYTHINGS

BALL
BAT
CARDS
DOLL
HOOP
JIG-SAW
PUPPET
TEDDY BEAR
TOP
TOY

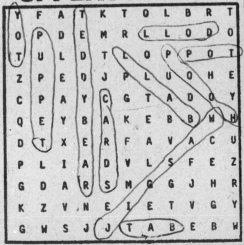

```
Y F A T K T O L B R T
O P D E M R L L O D O
T U L D T L O P P O I
Z P E D J P L U O H E
C P A Y C G T A D O Y
Q E Y B A K E B B W H
D T X E R F A V A C U
P L I A D V L S F E Z
G D A R S M G G J H R
K Z V N E I E T V G Y
G W S J J T A B E B W
```

7. ROCK ON!

```
Q E H F Y A A Q I K X B A D
H V A T Z H G U Z D I L G S
X N K P U U U H D Y H C A E
S E C I Y R D S A I S E G L
T C E F F E L A I C E P S B
M L V S A K S T U C O H A A
T A D E Y G E T R N I S C C
R H K N R N F Y A E S A V E
X E G E A W T I B G C J N S
D S G I U B P H U O E N D S
D R A A L P T I E L A M O R
P E B U N T T R V S I R D C
E I O M D A O B O C I R D M
R F U H R I M P R P A Z S S
C I N T P T T O S T P T E D
U L C Y L N P O I T H U A R
S P E H R H F U R G Z N S D
S M R R O R G I I I C A A N
I A S N A D H L F E U F R U
O W E C A S P Y R T B M E O
N S S E T Y Y S O U B M M S
E S L A C O V G N I K C A B
G L E D J O R K B P K K C V
J W P E S A Q V H V R B U C
S L A O P S T E K C I T F D
N N H H Z G N I L T S I H W
S G C E M M A R G O R P I E
G E S U A L P P A V E Y A J
H J W X Y R E G H I S X A L
```

AMPLIFIERS
APPLAUSE
AUDIENCE
AUDITORIUM
AUTOGRAPH
BACKING VOCALS
BASS GUITAR
BOUNCERS
CABLES
CAMERAS
CONCERT
DANCERS
DRY ICE
FANS
JEANS
KEYBOARDS
LEAD GUITAR
LIGHTS
MAKE-UP
MANAGER
MICROPHONES
MUSICIANS
PERCUSSION
PIANO
PROGRAMME
RHYTHM
SCARF
SINGER
SONG
SOUND
SPECIAL EFFECT
SPOTLIGHT
STAGE
SUPPORT BAND
SWEATSHIRT
SYNTHESIZER
TICKETS
WHISTLING

8. BE HAPPY

```
H V Y G E L D N I K O
E P U Y A B D W H F E
U M A M K L O B O G B
F F A C H A A R D L N
H S A L F Z V I P A E
G B M G F E T G M C D
P L N C Y I Z H N O D
I U K R N T M T I L E
M S M G U S M E M O R
C H L A N B H N A U X
L E F E T B K Y X R S
```

BLAZE
BLUSH
BRIGHTEN
BURN
COLOUR
FLAME
FLASH
KINDLE
REDDEN
TINGLE

9. GLOW

```
F G R F X E Z N D Z U U V I S
Z V R O M X B M E K T H B T J
L D R K A U K M K F A C W O W
X Y T N A L I B U J Q I K A Y
E L R P J T N U K E N E F H Z
L L E C G K R K E K Z F X C M
G O V L W E C O L L U D E P H
G J E H G G E E T G T L S T L
I T L G Z E E I D G E R R W C
G E I U D G T Z W B B I O A I
G N M A L T M F R E M R C H S
S N S L E L R A A R L K N M C
M I I R B D T M K G L E I U B
G O Z R T E V H U E G R V W Y
S E X H G L O B K S K F B O Y
```

BEAM
CACKLE
CELEBRATE
CHORTLE
EXULT
GIGGLE
GRIN
GUFFAW
JOKE
JOLLY
JUBILANT
LAUGH
MIRTH
REVEL
SMILE
SMIRK
SNIGGER
TITTER
TWINKLE

10. FLYING YOUR KITES

ANGLE
BALANCING
BLUEBIRD
BOWED
BOX
BUTTERFLY
CHILDREN
COVER
DIPPING
DIVING
DOWNS

DROPPING
EXCITING
FLUTTERING
HEIGHT
HIGH HAWK
LEAN
LIFT
LINE
NOSE-DIVE
PAPER
PATTERNS

PLEASURE
PULL
REEL
RELEASING
RISE
SKY
SOARING
STABILITY
STRING
TAIL
TILT
WIND

```
S G Q S Z H B R E L G N A Z T P L M A G
O N O L Y B U K E T E G L B H U F L S P
K I A D T T T Z Q V A N O Y G L V G L E
Y R Q S F H T O B E O I R I A L N E X D
I A D J I G E N I L B C L L R I A C M B
T O E B L I R O N S S N H J R S I R Z B
I S W S B E F C A N V A Q T U T H E G H
L Y O Z I H L F N W Y L S R I G P L N Z
T Z B Y A R Y O H Q Q A E N N N A E I C
D H I T V L S H F D I B G E O I T A V H
R X N I O E E H H T A D B T D R T S I I
O O Q L D K W A H H G I H F P E E I D L
P G L I P W N X N W U E Q A R T R N Y D
P N V B W X G J B O P R P E F T N G T R
I E X A B I L D R I B E U L B U S Y V E
N K B T F E N X I F R N H O T L G W S N
G O H S E V Q D G N I P P I D F Y K X Z
X G P R P R K R H T O P P E P D Y P T G
```

11. AMERICAN POETS

ADAMS
ALDRICH
BARLOW
BUNNER
BURDETTE
BUTLER
CARRYL
CARY
CHIVERS
DODGE
EMERSON

FIELDS
FOGLE
GUITERMAN
HALLECK
HAMMERSTEIN
HOVEY
KEY
LONGFELLOW
LOW
MELVILLE
MOORE

PECK
POE
RANDOLPH
RANSON
SIGOURNEY
SOUSA
STEDMAN
TUCKER
TYLER
WHITTIER
WILLIAMS

Puzzle submitted reader Mr. J. Waters, Stevenage, Herts

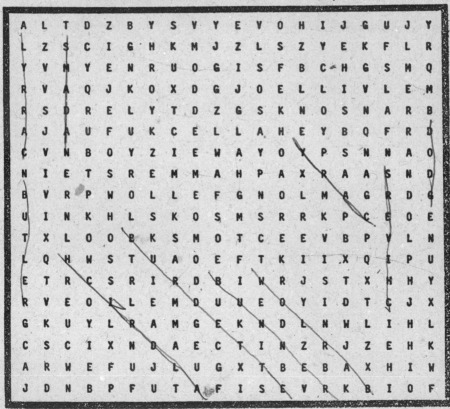

1. One who shoots arrows
2. He doesn't loaf about!
3. He cuts your hair
4. He knows all about meat
5. Male servant
6. Worker in wood
7. Famous artist
8. A barrel maker
9. Underwater worker
10. He sows crops
11. Works with stone
12. Dark brown drink
13. He rings the church bell
14. He has his own dog
15. Slang word for sixpence
16. He makes cloth

1. A ------   ARCHER
2. B ----   BAKER
3. B ------   BARBER
4. B ------   BUTCHER
5. B -----   BUTLER
6. C --------- carpenter
7. C --------
8. C -----
9. D -----   FARMER
10. F -----
11. M ----   mason
12. P ------
13. S ------
14. S --------
15. T ------
16. W ------   weaver

12. OCCUPATIONAL

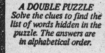

A DOUBLE PUZZLE
Solve the clues to find the
list of words hidden in the
puzzle. The answers are
in alphabetical order.

S	W	N	A	Y	E	O	A	H	C	U	F	B	D	F
I	C	K	U	H	U	R	G	R	M	V	R	G	S	M
V	A	K	S	Y	C	S	E	M	H	A	K	M	E	B
Z	R	F	O	H	D	P	D	T	A	A	W	G	L	S
N	P	R	E	D	O	E	L	B	A	T	S	N	O	C
M	E	R	E	O	F	E	C	B	I	S	K	T	B	R
L	N	I	C	V	F	U	E	C	U	S	W	A	H	E
W	T	A	S	D	A	P	O	N	E	T	R	F	J	N
Z	E	R	I	H	F	E	W	H	O	B	C	L	I	N
B	R	V	H	A	E	B	W	V	E	S	G	H	R	A
G	E	E	R	I	R	P	W	R	Q	W	A	M	E	T
R	O	M	E	E	Q	K	H	D	A	N	A	M	L	R
R	E	F	K	U	B	X	I	E	I	S	X	O	T	Y
R	O	A	R	E	T	R	O	P	R	W	J	V	U	Z
X	B	B	N	O	T	X	E	S	C	D	I	P	B	O

SURNAMES

12

13. CRANES FOR LIFTING

BEAM
CARRIAGE
CHASSIS
CRAB
DERRICK
ELEVATION
GANTRY
GEAR
GIRDER

GOLIATH
HOIST
JIB
LIFT
LOAD
LOWERING
MACHINERY
MANOEUVRE

MOUNT
OVERHEAD
PEDESTAL
PIVOT
POSITIONING
POST
RAISING
ROLLING

ROPES
SUPERSTRUCTURE
SUPPORT
SUSPENSION
TITAN
TOWER CRANE
TRESTLES
TURNTABLE
WHEELS

```
K L A T S E D E P T W S X P P T H J D P
B A R C H S U L H Q R H O E S S L A C Q
L G N P T R U B I J O S E I N T O C G G
O A G G C D E P X W T T O E I L H B O M
P N Q N M A I D E V A H F T L A M N L W
O T F I E G A I R R A C A I S S J O I C
S R W R N F F M S I S N U S L C Z I A E
I Y R E A F U A C U G T I G V O J T T N
T A M W R B A C H P S S R V N Q I A H T
I F A O C E S H O T B P G U L I R V R S
O G N L R L U I X V D E E I C K L E A G
N N O W E B P N Q D E R A N X T S L Q L
I I E P W A P E T N T R H M S T U E O B
N S U F O T O R X N S Q H R L I V R L R
G I V D T N R V F R U O V E Q S O O E D
F A R N T R T I A E G O S I A P Q N M Q
Q R E N P U G E D I S B M E P D E W T D
T Z W O H T G F V K C I R R E D Q S B N
```

S J T H T N S M L I A A D U J R K A K Y
Y O W V G H M A E E C H T L E D N P Z C
K I P U A Æ A E G B C S S P I G R A E H
Y N E M U L V B L N Y H T U L U R I V I
C O M N Y D I W U W B X N E P B B N R S
R E I S K N N P E B N Z S L K P D T A E
R T C H J A G E V M S S D E C C O L C L
S K A Q A H S N D S D H Q V R I A R G Q
T P O T K R O W G U S F E E E U J R T C
U U E M E K S N B E K C U L Y M Y Z B S
H L C L G C I O N R F Q X T V J A U H V
I P U A R T S A O E C T F I N E M R A W
N R J E T W L W R A Y I L R Z N S R F O
G Y W I Z P T U L D D M L I D R N Z G O
E S F B Y E S F L N Z B I P A I G E J D
S U S D R A O B P U C E R S S L L I K S
X F B F E F V Q I X A R D H S K C A T C
Z H S M T J W A S X G Q L M S L A G Q A

14. CARPENTRY

ANGLES	GLUE	SCREWS
BEAM	HAMMER	SHAVINGS
BRACKETS	HANDLE	SHELVES
BUILD	HINGES	SKILLS
CARVE	JOIN	SPIRIT LEVEL
CHISEL	LACQUER	SUPPORTS
CUPBOARDS	MEASURE	TACKS
CUT	PAINT	TIMBER
DRILL	PLANE	UNITS
FITTINGS	PUNCH	VARNISH
FRAME	RULER	WOOD
FRETWORK	SAW	WORKTOP

15. HE REALLY MEANS IT

AFFIDAVIT
AFFIRM
ALLEGE
ARGUE
ASSERT
ATTEST
AVER
AVOW

CERTIFY
CLAIM
COMMAND
CONFESSION
DECLARE
DICTUM
EMPHASIS
ENFORCE
EXPRESSION
GUARANTEE

HOLD
ITALICS
MAINTAIN
MAXIM
OATH
OPINE
PLEDGE
POSITIVE
PREDICATE
PROMISE
PROPOSITION
PROPOUND

REMARK
REPEAT
SAY-SO
SAYING
SPEAK
STATE
STRESS
SWEAR
UNDERLINE
URGE
VOICE
VOUCH
VOW

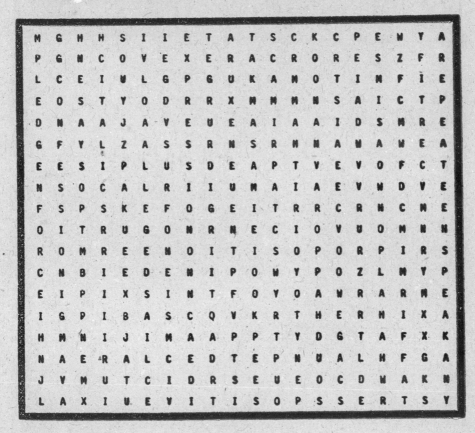

15

16. SHOCK

```
E E M W S E I R F R W S G Y H
Z G K R O R R E T D G U N Z S
A R U A J Z Z S I Z O R B W I
D Q E A H A A S J Q T P H E N
S U D G M S G I P M R R A U O
Q I I A G U D A N L L I T B T
V C S M S A W E T S Y S R R S
D K M T K A T C G Z O E E U A
P E A D K H O S F E Z V D T F
C N Y E G N E H F P I G L S U
U M N I F E R A C S Z K I I Z
R W R U R J M C I N A P W D F
K F S A Y F I R R O H T E C Q
G E D O L F P U R J Z P B D Q
K X X O O A P G D N U O T S A
```

ALARM
AMAZE
ASTONISH
ASTOUND
AWAKEN
BEWILDER
CONFUSE
DAZE
DISGUST
DISMAY
DISTURB
FRIGHTEN
HORRIFY
PANIC
QUICKEN
SCARE
SHAKE
STAGGER
STUN
SURPRISE
TERROR

17. POWERED

DIESEL
ELECTRIC
GAS
HOSE
OIL
PARAFFIN
PETROL
STEAM
WATER
WIND

```
S P D C T I J E R R N
M T I Q I T G X S E P
F S E R A R W W C O H
F Q S A Y N T A F T H
V K E D M Y D C T S G
P X L J N G F O E E E
E S T X A I I O O L R
T U X S X L W T G E E
R N I F F A R A P Q C
O H J W L G V B Z W N
L J C V W M A W X O R
```

16

18. BIRDS

submitted by reader Mrs. J. Ainsworth, Gawcett, Bucks

		ROBIN
		ROOK
OO	HOUSEMARTIN	SPARROW
B DUCK	JACKDAW	STARLING
IDER	JAY	SWAN
BL F DFARE	KITE	SWIFT
GOLDFINCH	LARK	THRUSH
GULL	LINNET	WILLOW-TIT
HAWK	MAGPIE	WOODPECKER
CRANE HERON	RAVEN	WREN

```
I S X T V Z S R D X M V N K H Z L I M B
R C E W U W P O H B L I M O S R S G X H
X O Y I I A A B H C N I F F A H C N G A
N O O F D H E I W Y S T Y W J M A U K Y
F E T K Q E D N Q X Y R O J S W O H I K
D X V Q C J R C X I S D R O S H B Z T R
N U D A R E K C E P D O O W C N O W E A
S A C T R Q W S A P X W S J I Q B L V L
K D U K I R F R T G J H O T L B G B I M
W D V E O T R I O A I O R Q F U L N T L
A H R C I O W L E R R A U J L A N I R O
H E H I W P D O K L M L A L C E T X O J
R R T C B F G E L E D C I K T E N K N A
V O X H I K E A S L K F C N U T C A J Y
W N Y N R L C U M D I A A L G U L B R D
R D C M Q U O A A U P W B R C U R E P C
E H H F F H S W L M C O E E E K B M A D
N S N P R W F H X B H F P C I Z Y U V Z
```

19. SPECULATION

```
R C N A U Q V E Q H M F S D M
E S I M R U S E A J F L T O V
S D E B V T R A N T H T U V P
I R N M F S I R B T B A D Y C
Z E I S P R S B E M U S Y H G
S A G D T X C R E G U R A G M
K M A J J B D D E P A N E A S
R N M I A A I E P F C W F M M
E B I N G T T O R E L Y N B R
D R V H A A S E X R T E K L E
I O I T T E D F S S U D C E D
S O E I C N O A S B S C Y T N
N D G M O F D N O S A E R Q O
O O C W L B L C B E R D U S P
C I Z J D L S Y N N Y G G G R
```

BROOD
CHANCE
COGITATE
CONSIDER
DREAM
FANCY
GAMBLE
GUESS
IMAGINE
MEDITATE
PONDER
REASON
REFLECT
STUDY
SUPPOSE
SURMISE
THINK
VENTURE
WAGER
WONDER

20. SOME PORTS OF THE WORLD

ADEN
BREST
CADIZ
CALAIS
DOVER
GRIMSBY
HULL
KIEL
LISBON
MADRAS
YALTA

```
H Y R N Z I C D X W J
K J E E D F Y A K E Q
X D U W V M N Y D X R
A C C A A O A G F I I
U B H D B L D R A A Z
U F R R T G A I D X Q
J A E A I H K M Y P V
S S I A L A C S I U A
T Q Y V B N O B S I L
V I H S Y M D Y Y U M
L E I K L L U H J B Z
```

21. PAINTERS

BELLINI
BOTTICELLI
BRAQUE
CANALETTO
COURBET
DAUMIER
DELACROIX
DUFY
FRAGONARD
GAINSBOROUGH
GAUGUIN
GIORGIONE
HOLBEIN
INGRES
KANDINSKY
LOWRY
MANET
MONET
MURILLO
RENOIR
ROMNEY
ROUAULT
SICKERT
SISLEY
STUBBS
SUTHERLAND
TIEPOLO
TITIAN
TURNER
UTRILLO
VERMEER
VERONESE
WATTEAU
WHISTLER

```
L H P O Y K S T F K Q E . T X
U P O S T E A R U O K E N G
F B N L R T A N L R B X R O
T Q E G B G E L D R N O I C
E N N L O E I L U I M E A J
N I H N L R I O A N N K R D
O F A P T I C N E N H S A U
M R R U N M N Y Y N A F K A
D O R E L T S I H W L C S Y
X O L G N A L E H C I M I X
T R E K C I S G B F F Q S S
R R Y T Y T G A W P E S L B
C E A Q R C I I A J K T E B
F I J E W L O N T Q E L Y U
L M V P O S R S T E U U T T
X U V Q L T G B E N Q A L S
F A N Y I H I O A M A U T A
L D D T Z R O R U A R O E D
N N I W U H N O E N B R N J
Y A R R B Z E U A E A A J B
N Z O E L O O G U T L X Y P
K Z V M E L T H R R V I E T
Z H S E L M S T E A G O K I
V L R I R Q R H I A T R Q E
N E R I Z O T E U C G C M P
D U J X O U N G V D E A Y O
M K P Z S N U E U F E L L L
C W Q P S I E F S M G E L O
V R P A N A Y R S E O D M I
```

19

22. WIMBLEDON CHAMPIONS

```
O O B Q C O P Y N B O R D I B
L L T Q S R F Z I B Z J Q G E
M A E F Z A E Z K B F F N J B
J V H P B R N M T R U I E D M
O E S S E P S T A R K E A A O
N R A M J E E U A R A B N C C
E V F P D E N L L N K B G O W
S D T O Z M R O S I A W E S E
L V K N M E A V Q D X C L R N
E W U F P R N V O H O L A Q T
A B A O U S C Q V N G R O B B
K Q O D T O Q P N N O S B I G
S C D R E N O O P D P Y Z A D
F S A L M Q R U O T R E V E E
Z H Z Q Q S V Q N D L B F C Q
```

ASHE
BORG
BUENO
CONNORS
COOPER
DROBNY
EMERSON
EVERT
GIBSON
HART
JONES
KING
KODES
KRAMER
LAVER
NEWCOMBE
SANTANA
TRABERT
WADE

23. FAIR CHANCE

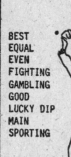

BEST
EQUAL
EVEN
FIGHTING
GAMBLING
GOOD
LUCKY DIP
MAIN
SPORTING

```
R G N I T R O P S B I
F N T S B E N E Z D I
F L Q S J C V J O G D
R I U M E E C O F M R
R X G C N B G N E O J
X H Q H K Q G I Q G A
V H G S T Y T A U R H
G V B D C I D M A O F
J V K T G P N I L G H
D U X P V F W G P C B
W L S G N I L B M A G
```

24. ABOUT MUSHROOMS

BASIDIUM
BOTANIST
BUTTON
CAP
CLUMP
COUNTRY
DEADLY
EDIBLE
FAIRY RING
FIELD
FOOD

FOREST
FUNGI
GRASS
GROWING
HARMFUL
INEDIBLE
LEATHERY
MILDEW
MOSS
MOULD
MYCOLOGY

ORGANISM
PARASITIC
PLANTS
POISONOUS
SHADE
SPORES
STALK
STEM
TREE STUMP
TREES
UMBRELLA

```
N Y V E O T T P M U T S E E R T J F L E
W R Y W D R R I Z K C D L E I F Q U J S
S T Q X Q A G C X N B R E V P B Q N P P
A N C C C Y H A T L D C T A C N C G I L
D U L P R Y O S N H E B R Y D Z J I A A
Q O U P P B O U L I T A O J M L Q W C N
G C M U I D I S A B S O V T Z I Y Q S T
V K P X O G G U K I E M R V A J L U U S
G L D Y C Q M L T I R Y L V I N O D Y O
O A F A L B U I I X O Y R N S N I X E S
Z T P I R F C Q N Y F G D E O S S S J W
B S H E M H S N E M G X R S H T A J T J
S A L R S P D Y D O G O I O E T T R S C
K L A T O O A U I U F O L G H E A U G M
A H E R O E K Y B L P T X O D I R E B O
J M E F B L S U L D U V Y J C T N T L S
C S E L B I D E E J A W X B A Y S G E S
P R E R G N I R Y R I A F W S I M G N S
```

21

25. UNDER PRESSURE

```
N Z A B X G H O D E C R E O C R D B N Z
I Y N I A R T S P B V W J O L E Y Q Y U
L C X N Y P O E V P B H N O S S I Z R I
A N I G B E K F B Y R C V S U S Y E M L
N E E U I R E X R O E E A B T M C P H Y
E G T U T S H L F R R R S R M L A T D G
R R Y X N I Q R N W A Q E S U T A N E D
U U E L E S E E O H W S P N I G O E T D
A B L P M T D R C E S U A E E O Y M N E
N S B G E E K F D F N I N C M L N S E A
R S A Q C N I G U E L C O N D O H S M D
T E T U R C Y L A B E M O I I E T A R L
E L I S O E X S I N P I S S A R B R O I
G T R K F L I T E E T T N D O W L R T N
U S R I N N I R L A R E A U O N K A J E
I E I H E N V L X E T C B R V B X B Z B
F R Z S G E E E S S H L R L Z J T M N A
M C S Q S D V S W E E Y G N I S S E R P
```

ADRENALIN
ANXIETY
BUSY
COERCED
COMPELLED
CONCERNED
DEADLINE
DISTRESS
EDGY
EMBARRASSMENT
ENFORCEMENT
FIDGET

FRET
HARASSED
HEADACHE
IMPATIENCE
IRRITABLE
NAIL-BITING
NERVES
OPPRESSION
OVERWORK
PERSISTENCE
PRESSING

RESTLESS
STRAIN
STRESSFUL
TENSION
TORMENTED
TROUBLE
ULCER
UNEASINESS
URGENCY
VEXATION
WORRY

1. For baby
2. Designed for country walking
3. Ornamental clasp
4. Wooden footwear
5. Protective overshoes
6. Conceal
7. Used for fastening things
8. Soft leather shoe
9. For lines on a ship?
10. Open footwear with straps
11. Covering for feet
12. Worn indoors
13. For wintertime
14. Rubber boots

1. B OTTEES
2. B ARBOUR
3. B ROOCH   BROOCH
4. C LOGS
5. G UMBOOTS
6. H IDE
7. L ACES
8. M OCCASIN
9. P romenade
10. S ANDALS
11. S HOES
12. S L_____
13. S NOWBOOTS
14. W ELLINGTONS

A DOUBLE PUZZLE
Solve the clues to find the list of words hidden in the puzzle. The answers are in alphabetical order.

V	S	C	Q	Y	U	A	H	H	R	P	S	K	M	S
O	W	O	O	X	P	K	Q	A	B	N	S	M	N	L
S	R	E	P	P	I	L	S	B	O	E	S	J	V	L
A	E	Q	T	Q	U	Y	P	T	C	P	O	N	H	O
S	E	H	S	O	L	A	G	A	B	Q	U	K	U	S
H	Y	F	A	Y	M	N	L	U	Q	V	G	S	A	M
S	P	W	L	B	I	O	C	S	G	I	H	O	R	I
H	T	Q	G	L	R	K	C	B	G	O	U	E	W	L
Z	P	O	L	O	L	O	O	C	E	O	D	Z	K	P
V	Z	E	O	E	G	O	G	S	A	I	L	E	M	D
T	W	A	F	B	T	W	M	U	H	S	R	C	W	E
Z	W	M	A	E	W	J	D	L	E	A	I	S	O	T
V	L	A	E	Q	D	O	B	B	R	S	C	N	Z	H
S	Q	S	T	G	P	C	N	H	V	H	C	A	H	C
S	L	A	D	N	A	S	N	S	F	H	N	V	B	Y

26. MAKE FOR WALKING

27. BANDAGE YOUR WOUNDS

```
G I H T I J T F G R Y G X Y H
N X T A C R U T U C E G L H X
I F D J R E R U K H N G X K F
S P I N A L N Z Y I U D N E B
S Y W V L L S H P Z J B R I H
E P K H U O Y J N V R U K C F
R H R M C R O I S F S F L S L
D O G A R L P M J S A I U V A
Q X C Z I R W F E B N P T Y R
N M E I C N N R R E P A O T I
M A P S L L P I N O Q D H J P
G K E T B A C L R N S D O N S
N H R R L T C T I M O I M U W
G U C I M C L M P T S N L X S
T T V P I L C V K R U G A J J
```

CALICO
CIRCULAR
CREPE
CUT
DRESSING
FABRIC
FINGER
LINEN
LOOPING
PADDING
PIN
PRESSURE
ROLLER
SPIRAL
SPRAIN
STRIP
SUPPORT
TURNS
WIDTH

28. GIRL GUIDES

BADGES
DUTY
EMBLEM
FLAG
HELPFUL
LAWS
PATROL
PROMISE
SECOND
TREFOIL

```
W V Q B K E B U D S F
D Z D B M A D L B P H
F E C B D N I A A Q I
P F L G O O P T S X J
W E E C F R R Z W L T
M S E E O O S J A C O
Y S R M L U F P L E H
X T I G A L F Y L G O
Y S X D O J A T T X W
E V V T X X M C N U A
O T H E E X S D T Q D
```

29. APPEARANCES

BLONDE
BROAD
BUXOM
DARK
ELF-LIKE
FAT
FLORID
GAUNT
GREY
HEFTY
LANKY
LEAN
LOFTY

PALE
PASTY
PLAIN
PLUMP
PORTLY
PRETTY
RUDDY
SALLOW
SHORT
SKINNY
SLENDER
SLIGHT
SLIM

STOCKY
SWARTHY
TALL
THIN
TUBBY
UGLY
WAN
WILLOWY

```
L W M K X C P R F U T Q R T N Y H P G C
Y A O P J R E H D P X T K E M H E W D A
K N W J R M O F Y S H B A O K D Z M N G
N V O F G E B G B K D P X F N I S Z C I
A O L M U N T R R U C U M O O W L P J C
L J L F D C C T O G B O L C A P G F O S
P D A S A Y J U Y A R B T R Q D X N L E
L A S V L P E U G O D E T S H Y L G U E
A R C T A E T Y E Q Z H Y L P C X E P T
I K R S V U N Y W S Y X I B X Q X L L W
N O T O B C A D W N F Y T F O L D A U M
P Y Z B P E E G E O I H V H F T I P M G
P D Y Z W T L S R R L K P D G Y R E P M
O D T H N G H T I M R L S E L A O Q A I
Z U P U T O H G T D M L I Y C O L U A L
A R A A K I J T H G I L S W K P F S U S
A G L T N H G G M Y T F E H H X O I G A
M L L M N M L C M P R G Y Q U V S E L A
```

25

30. EVEN

ADJUST
BALANCED
CALM
COMPARABLE
CONSTANT
EASY
EQUABLE

EQUALIZE
EQUITABLE
FAIR
FLAT
FLUSH
HORIZONTAL
JUST

LEVEL
MATCH
MATCHING
ON A PAR
PARALLEL
PLACID
PLANE

REGULAR
SIMILAR
SMOOTH
SQUARE
STABILIZE
STABLE
STEADY
STRAIGHT
UNIFORM
UNVARYING

```
E K O S J W I C Z S H A F U R L I C E L
Y A N K S G A D T H O Q L C Q U O Z E R
P D A B E H E R C T R J U U H N I N A E
G J P S F C A T W O I U S L S L A L D K
L U A Q N I A X D O Z S H T A L U T I E
U S R A G M R Q G M O T A U P G F M C K
W T L H S U U A Y S N N Q Z E T S N A F
I A T P X T N J T D T E B R P A C E L E
B G Q Z E Y A V B E A G Q Y S A E N P W
P N F M Q Y S B A M L E L B A T I U Q E
Z I V B R I V F I R B B T S E L A J W G
N H J C M O H T A L Y Q A S T R E T N D
P C Z I M K F F S I I I L R X A A V Z I
L T L F P L F I V Y R Z N E A L B U E U
J A K P Y X A D N N L N E G F P D L Q L
R M O J E S H C V U I D X A L W M M E S
Z B E L B A U Q E P D F Y H R K A O F I
Y E Y L E L L A R A P H I T A I O C C V
```

31. ROMAN TIMES

```
B U F E L T T A B T X W E O
F T S S E R T R O F S R T V
Z L E O C P G I D D T Z Z Z
I U V N F P R Q A A U S N K
S P I O L A X O E R F P E I
J A L N W T R H C W N A D V
C T L C D R T L Q Y G R G V
A A A F B I A Z W L S T U F
C C M W H U O U E G G A G N
O U H P D M S S A Y X C Y O
H X M I S V W H H J N I Z M
O A U D U I T P T E D S D O
R S O V B R R G U A L T P O
T G E Q P A V E F A B N R S
E V H S S T I R D O T A E Z
X C J E T E D N O G P S Z T
J X A M S E A L U T R D N G
N C C P S S R V E O C E D R
P H V E S P W T H I R I Z S
V N T R G B V O I O H F V S
Z C Q O A G O T R U A S W R
N O I R U T N E C D M C Y H
M S S L R O T A I D A L G N
O L V M E M U E S I L O C P
J A C E W G C S E T A N E S
K V T O G L I J E S N O I L
T E O H I U N O S I R R A G
M M Q A A N Q T N L P O S L
E X D K X V S A E V U P S T
```

AMPHITHEATRE
ARMY
BATHS
BATTLE
CAESAR
CAMPS
CATAPULT
CENTURION
CHARIOT
CLAUDIUS
COHORT
COINS
COLISEUM
EAGLES
EMPEROR
FORTRESS
GARRISON
GLADIATOR
GODS
HELMET
HORSES
LEGION
LIONS
NERO
ROADS
SANDAL
SENATE
SESTERTIUM
SHIELD
SLAVE
SPARTACIST
SWORD
TOGA
TRIUMVIRATE
VICTORY
VILLA

32. FLOWERY

```
F F X F X O L H P B K R J Y L
B S R S R J A P R A P N V S F
O L K U E E O E P R F R W I S
C S S Q P R E A O F B I C A Q
R C A H D S N S C R S F E D N
O I S W Y S E C I T C N W F E
C M O V Y C L K E A Q H L M N
U N M K N A A R A H K I I M O
S H I R R I I M J L D C D D M
D U M K K A P K E O D D A W E
Z F I J I R S U F L N O M G N
P A T V E T G F L E L Q X X A
E X L T O H A A K P X I U V O
C A S C W D R M Q F P L A I U
S A K W C P I L U T L K M I L
```

ANEMONE
ASTER
CAMELLIA
CLARKIA
CROCUS
DAFFODIL
DAISY
FREESIA
JONQUIL
LAKESPUR
LUPIN
MIMOSA
ORCHID
PANSY
PHLOX
SALVIA
SNOWDROP
STOCK
TULIP
WISTERIA

33. LAND

BANK
BEACH
COAST
CONTINENT
DELTA
EARTH
GROUND
ISTHMUS
SHORE
STRAND

```
V O O L A T L W M T V
Z H D E S T C W N D C
X Z A A R O L E T N I
E D O W K O N E A A S
B C T N S I H F D R T
Y E A W T G T S Q T H
Q B A N J A R P S S M
H L O C F N A S Y N U
A C Y G H V E Q W G S
U M J D N U O R G A C
V C K U M T I V D U R
```

```
B B M R Z E N I L C I T A T S X Q G B N
L A D E E M X E T S N R A T L E D N R K
C T O T P T F U F M S M I S H R R U N S
I M M A O N E T K E V A B P O A T X P Z
Z I N R O U T M T L C I P G C T N R T N
P N M T L G J L I Q Q J U N O O E Z R P
O G I N K T P O G T U E U O O A R U A A
O L N E C G O T N E L C F M D T T D C R
L L D C A M R H I R S A H E P D A V K A
T A N S B N D G P A K V A D N T Z B I W
N F R E L I D I M L D G E A O A O Q N I
O E U D I P E E U F L A H Q B M U M G N
R E T C A S Y E J E E V E D M M N A E G
F R Y A S T A R E L L O R L E R R A B R
P F D N A A L U K G N I D A E R P S H B
Y X O O R L E G O D P L M Q T U O D E R
P S B P A F D I M U F W Y M Z T C C K U
Z N P Y P R Q F S G A C C Z B F M X M P
```

34. PARACHUTING

ALTIMETER	DOWNWIND	PARASAIL
BACKLOOP	DROGUE	PARAWING
BARREL ROLL	FIGURE EIGHT	RED-OUT
BATON PASS	FLARE	RIP CORD
BATWING	FLAT SPIN	SMOKE JUMPING
BODY TURN	FOOT TURN	SPREAD EAGLE
CANOPY	FREEFALL	SPREADING
DELAYED DROP	FRONT LOOP	STATIC LINE
DELTA	HAND TURN	TOUCHDOWN
DESCENT RATE	JUMP TOWER	TRACKING

1. Enticement
2. Desire for food
3. Drawing power
4. Option
5. Eager interest
6. Fashion
7. Imagine
8. Inducement
9. Fondness
10. Tender feeling
11. Particular fondness
12. Flavour
13. A failing
14. A caprice
15. Relish

1. A----------
2. A--------
3. A--------
4. C------
5. C----
6. F--
7. F----
8. I---------
9. L------
10. L---
11. P--------
12. T----
13. W--------
14. W---
15. Z---

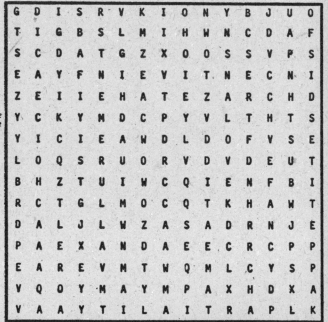

```
G D I S R V K I O N Y B J U O
T I G B S L M I H W N C D A F
S C D A T G Z X O O S S V P S
E A Y F N I E V I T N E C N I
Z E I I E H A T E Z A R C H D
Y C K Y M D C P Y V L T H T S
Y I C I E A W D L D O F V S E
L O Q S R U O R V D V D E U T
B H Z T U I W C Q I E N F B I
R C T G L M O C Q T K H A W T
D A L J L W Z A S A D R N J E
P A E X A N D A E E C R C P P
E A R E V M T W Q M L C Y S P
V Q O Y M A Y M P A X H D X A
V A A Y T I L A I T R A P L K
```

A DOUBLE PUZZLE
Solve the clues to find the 'ist of words hidden in the puzzle. The answers are in alphabetical order.

35. TEMPTING

36. SHAPE OF THINGS TO COME

ARC
ARCH
CIRCLE
CONE
CRESCENT
CUBE
CURVE
DECAGON
DOME
ELLIPSE
HALF-MOON

HEPTAGON
HEXAGON
HOOP
HORSESHOE
LOZENGE
OBLONG
OCTAGON
OCTAHEDRON
OVAL
OVOID
PARALLELOGRAM

PENTAGON
PENTAHEDRON
POLYGON
PYRAMID
RECTANGLE
RHOMBOID
ROUND
SPHERE
SQUARE
TETRAHEDRON
WEDGE

```
N B E E H E M P R R D I N B D R N M K H
E O R D O M A B A O U O J I Y L O J I Q
G C E H O H R Q M Z G L O N J E R H Q F
N T H E P C G E H A O B O W L Z D A R J
E A P X W R O G T Z M G R L R F E L E W
Z G S A E A L P Y O Y R I P C D H F C C
O O D G D M E I H L H P B W A I A M T I
L N B O G H L R O D S O K U E O R O A R
H H L N E M L P A E N F R O R V T O N C
N O R D E H A T N E P U H D N O E N G L
P J O R P C R L T Y R S O V E S T M L E
O E H Z R U A R R D E X T R E H M F E Y
C C N W Y B P A E S C N B J O E A C V S
O U F T D E M C R C V U X U X V Y T Q U
N R A T A I A O T N E C S E R C A U C G
E V D M D G H A O G N O L B O L A L V O
G E H Q O X O F R Z W G Z N A R Y D F T
M L G N N S D N O C O M J K E G S C U I
```

31

37. KINDS OF WEALTH

BILLS
BRASS
BUCK
CAPITAL
CASH
CHEQUE
COINS
COPPERS

CROWN
CURRENCY
DOLLAR
FINANCE
FIVER
GOLD
GRAND
GUINEA

HALF-CROWN
LEGACY
MONEY
NOTES
PENCE
POSTAL ORDER
POUNDS
PROPERTY

RESERVES
SALARY
SAVINGS
SHILLING
SILVER
SIXPENCE
SOVEREIGN
WAGES

```
C Y R E V I F R L K C U B C P C F K Y X
A O G E K M S E A V A M A O U W Y B P H
Y K P I V N G D T L F S U R G R D R S S
C P R P I B M R I J H N R U A O K E G A
A R Y O E O F O P Z D E I L L O U S A J
G O C V N R B L A S N N A L F X A E C J
E P S E V F S A C C E S A W W N I R Z V
L E Y O V T D T Y A X R T S A J B V B T
X R F M V N P S G G N I L L I H S E R U
O T S I P E Q O D R E V L I S E C S A A
L Y N I N Y R P Q B U X K S G C R Z S M
W C S N X A Q E A R L Y Z A R Q M Q S B
D D S M J P N S I F E P W O D P R H L M
T L N L R K E C J G E N W O R C F L A H
I L O A L H Z N E N N N S G N I V A S O
P A D G R I F M C M R Q I K G L R D O F
R V W U L G B E S E T O N B X A J Z Y C
E U Q E H C A Q I P E E N E I H K V U W
```

32

38. FROM THE BIBLE

```
Y C C G G J E O E A H N F U R A A B R E
K S U I F R R C Z E O A F U K U L A R B
G O A D Y B E Y Z K G O R I R E Z O A G
H L S E J C X E G H R M X L B Z N Z M W
A O E O H E K D R Q U I T A A J I M V W
L M H N G I S U R A Z A L H O O O A E E
I O V A A M I A R H P E S S A S T L P N
L N N H I B H D K Z U L H A E E T A I M
E O O L A R A F D P A X R S K P G C B R
D N A S E V A J T B K O M G Y H O H H N
Z Z H L I I A H C H N V A B A D R I T I
R R P D Y P K M C B E Q R Q E B C G U A
E J B U H M B E A A O T Y M J Q R S R C
B T N E J C B N Z J Z C U K G O D I Z U
E K T J P U G P K E F S A I E A N X E R
C H K U K K A B A H J T Y J S Q F A B L
C X Q T I F J P S A B B A R A B P F H B
A D J M O L A S B A G M A H A R B A T B
```

	ESAU	
AARON	EZEKIEL	MALACHI
ABEL	GABRIEL	MARY
ABRAHAM	GIDEON	MOSES
ABSALOM	HABAKKUK	NAOMI
BALSHAZZAR	HEZEKIAH	NICODEMUS
BARABBAS	JACOB	NOAH
CAIN	JAPHETH	REBECCA
DAVID	JONAH	RUTH
DELILAH	JOSEPH	SOLOMON
EPHRAIM	LAZARUS	ZACHARIAH

33

39. RABBITS

H	N	Y	J	Y	W	N	J	A	S	M
C	O	S	M	U	T	P	X	I	F	B
T	G	R	U	E	C	U	T	T	E	L
U	C	G	A	Z	Y	D	K	F	B	C
H	I	A	R	N	E	P	K	J	R	P
D	G	B	R	T	G	O	P	G	H	K
L	W	A	X	R	J	E	D	O	N	X
W	K	A	T	Y	O	E	M	L	L	L
H	C	C	R	Z	H	T	X	E	R	F
M	U	Y	Z	F	A	M	S	N	F	Y
J	B	X	Y	I	Y	H	X	R	B	P

BUCK
CARROTS
DOE
DWARF
FLOPPY
HAY
HUTCH
LETTUCE
ORANGE
REX

34

40. COWARDLY

ABANDON
ABJECT
APOSTATE
BASE
CONTEMPT
COWER
CRAVEN
CRINGE
CROUCH

DEPART
DERISION
DESERTER
DESPICABLE
DISDAINFUL
DISGRACE
DISHONOUR
FAINT-HEARTED

FALSE
FEAR
FUNK
GUILT
IGNOMINY
LEAVE
LOSE RESERVE
MEAN

PANIC
RENEGADE
SCORN
SHABBY
SHAME
SPINELESS
STAMPEDE
TURN TAIL
YELLOW

```
X M H O D M A S H C G Y D S B T F P V M
L T N R E A M Y R E B E S S N K Z J T S
D C A R T K T I N B V E E Q H X U U T N
X E O O R V N L A I L R E D R C R W E D
F N O W A G F H I E M T E U A N U Y K U
B E V A E L S N N U A O O S T G A O F V
X D B L H R L I O T G N N A E R E A R D
N T T L T C P E S I O E I G C R L N L C
O R R U N S U O L H S L C G I S E D E R
D A X F I C P K S B L I E A E S H S Q R
N P C N A A X I R T A W R D R P S O O C
A E C I F G D P E N P C J E E G A Q H L
B D U A X R R D T W R M I A D P S N I D
A F G D F C I O R I O O E P B Y M I I M
B J K S O U N L E C U L C T S J T A D C
U N O I U A N T S X Q V L S N E E Y T A
I L Z D E M J K E M A H S E H O D C K S
Z D P M E S A B D M M Z B D Y D C L T Q
```

1. Overseer of an estate
2. He keeps watch over something
3. To do with management
4. Skilled workman in charge
5. Woman who manages a home
6. One who guards
7. Hospital worker in charge of nurses
8. She looks after the sick
9. Member of Government
10. One who rules when monarch is absent
11. In charge of the circus
12. Law enforcement officer
13. Skilful politician
14. Private teacher

1. B - - - - - - -
2. C - - - - - - - - -
3. E - - - - - - - -
4. F - - - - - -
5. H - - - - - - - - -
6. K - - - -
7. M - - - - -
8. N - - - -
9. P - - - - - - - -
10. R - - - - -
11. R - - - - - - - - -
12. S - - - - - -
13. S - - - - - - -
14. T - - - -

A DOUBLE PUZZLE
Solve the clues to find the list of words hidden in the puzzle. The answers are in alphabetical order.

D	G	R	U	L	C	T	M	T	M	V	Z	Z	B	C
N	O	F	L	U	E	W	N	V	U	E	D	A	Z	D
O	I	R	N	N	O	V	J	E	Y	T	I	Z	X	Y
R	E	Z	R	A	Z	Z	I	Q	G	L	O	D	E	H
T	Z	A	C	I	M	W	O	T	I	E	N	R	S	N
A	P	L	N	D	N	D	G	F	U	A	R	T	Z	E
M	M	F	Q	O	H	G	F	N	I	C	A	H	F	F
B	Q	F	E	T	F	Z	M	C	A	T	E	I	U	T
G	D	I	V	S	I	I	I	A	E	M	W	X	E	E
W	D	R	Q	U	A	T	A	S	S	E	E	L	E	R
G	Q	E	C	C	I	E	M	P	S	T	M	R	E	R
H	T	H	J	L	S	A	U	U	J	N	E	P	O	X
P	U	S	O	R	N	X	O	D	S	U	E	R	M	F
E	U	P	U	R	X	H	Q	H	O	E	M	N	V	N
P	K	N	M	P	T	Y	Y	V	K	N	C	L	R	B

41. KEY PERSON

36

42. ...STONE

```
Z Q G H E H K H M I R B W B L
C U K A T J U E A I F Q M Z I
Y R E P L Y O A O O P O D B O
E T Y C L F A D U D T E M I L
N I W O I E Q N G N I V A P D
R C H Q L M D G A E Z N N Y R
A U E I G A U D X N G G Y H N
L R M L T N N P F D R D E O A
B L X I B I I D G A S A O N T
G I O J R B O P V Y R M A L N
K N M G I E O E P T U B T L I
D G E I B G N C H E E Q C I L
C N H Q L R I V T Q T H I A F
X J A W Q L E B H C V S W H K
O D O S T X T K H L T V W L W
```

BLARNEY
BRIM
COBBLE
CURLING
FLAG
FLINT
FOUNDATION
GRAVE
GRIND
HAIL
HEAD
HEARTH
HOLY
KERB
LIME
LODGE
MILE
MILL
MOON
PAVING
PUMICE
SAND
STEPPING
TOMB
WHET

43. MEANS OF ACCESS

AVENUE
CATWALK
CLOSE
DOOR
LADDER
LANE
PASSAGE
PATH
STAIRS
STREET

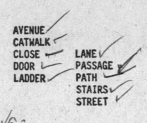

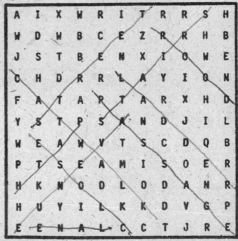

```
A I X W R I T R R S H
W D W B C E Z R R H B
J S T B E N X I O W E
C H D R R L A Y I O N
F A T A P T A R X H D
Y S T P S A N D J I L
W E A W V T S C D Q B
P T S E A M I S O E R
H K N O D L O D A N R
H U Y I L K K D V G P
E E N A L C C T J R E
```

```
R Q P K A S N T S E V A W I W H C Y T P
S V S M H M O E Y J N O I T C E R I D Y
V I R U C N I C Y S S O S S E N D U O L
E B A H E M S I C C O T K Y T I L A U Q
N R E O E R I B R S N A E V I S Z C P K
O A Z I P I V F C Q M E U H C T I P V C
I T D D S A E I P S O U U D N W Z F O Y
S I T A W M L I L D C S S Q I Y L M R E
E N D R Y L E F C E C I H I E O P P N R
F G O K A B T Y E I C J N J C R T U N U
R M T T G N C I T D O R Q O E H F K O S
J P O P P L S S M C U P U S M X Z C I S
R R O F E K U F T S W T S O O R L I T E
S L X S D O D A O R N I I E S X A P A R
H R X S C L V R X R O A R L T D H H S P
Q K N A U E C D B N M W R F P O J K N F
R E V I E C E R S E F E N T X M N X E D
R K X S Y L Q U R P Z Z R P D G A F S L
```

44. SOUND EFFECTS

ACOUSTICS
AIR
AMPLITUDE
AUDIO
COMPRESSIONS
CYCLES
DIRECTION
EARS

FREQUENCY
HARMONICS
HUM
LOUDNESS
MUSIC
NOISE
NOTE
OCTAVE

OSCILLATORS
PICK UP
PITCH
PRESSURE
QUALITY
RADIO
RECEIVER
SENSATION

SOURCE
SPEECH
TELEVISION
TONE
TRANSFORMER
TRANSMIT
VIBRATING
WAVES

45. HITCH

```
W R K P D N A E N V E V Q H M
U K F C Y I L U E I H R A P T
F W O T A C F L T C B R F R X
F A G Y A B P F T J N N I O J
S Z S T O P W A I E N T O B L
A Z S T A K C A S C N W O L H
B B C R E I E S R E U E Y E A
O T G U L N V O M D J L U M N
K C O L B G N I L B M U T S D
T F D L Z W D K P P O T W Y I
S P W F S E B L L K G E C S C
R T G F P W E I N L D T S G A
F U O M K A L Z N C W H U A P
B U I G S I A V Q B V E A N A
H N C H H C A T T A K R X S A
```

ATTACH
BIND
BUG
CATCH
DIFFICULTY
DRAWBACK
FASTEN
GRAPPLE
HANDICAP
HARNESS
IMPEDIMENT
JOIN
LEASH
OBSTACLE
PROBLEM
SNAG
STUMBLING BLOCK
TETHER
TIE
YOKE

46. MUSICALS

ANNIE
CABARET
CAMELOT
CAROUSEL
EVITA
GIGI
GYPSY
HAIR
KISMET
OLIVER

```
E I N N A M I P H Z K
C F T C G G T A K I R
K A N C I Y N X S F E
T P M G A A P M R W V
U R C E C R E S M B I
X I A A L T O F Y K L
I A T W B O U U C H O
B H I U U A T O S E T
J P V S Z C R F L E W
J O E P S J P E A Z L
Q R L Y E F A K T K I
```

39

HARDER PUZZLE SECTION
47. HITTING THE HEADLINES

WELCOME TO THE HARDER PUZZLE SECTION
The following puzzles are more difficult. Usually there
are no lists to guide you. See how many words you can
find and then check your list with ours at the back of
the book. With some puzzles we have given you either a
partial list or a clue as to how many words are to be
found. We think you'll find these fun to do.

**All the things hidden in this puzzle can command
headlines all over the world. There may be FLOODS,
or a typhoid EPIDEMIC. You can also read about
VIOLENCE and MURDER, or about the BRAVERY
of a rescuer during a BLIZZARD. Find all thirty-five
answers.**

```
H B I H E C N E L O I V H Y S P S U Q J
M R R J A K B B D N B U T P D H E E S S
V C F X R H S M L I W L N P K P M V D W
L Q O G T S H T R I A E O M R G A A O X
S T O Q H T S T A Y Z O P L K I G W O V
T J T T Q N H T O T L Z O I N E C T L O
O T B H U A T R U S E D A F D D I A F L
I Z A G A L A S W C A V L R K E P E Z C
R U L U K P I I I N R A I X D J M H B A
X C L O E S N N R L T E V S L H Y I D N
G E C R S N Y O V I S R W A I Y L X C O
P L K D E A T R O A E R O O L T O S Q V
A E K R P R Z N E D S E U B P A J Q G E
N B C G D T A W R V K I X O B S N R G R
D R A L R J A U W I A M O D N E I C C I
I I J E U R M B R C E R Q N V O R E H F
K T I R G R Q T E G D U B H R N H Y G E
C Y H I S D S O P M B S C I T I L O P E
```

48. TO DO WITH WATER

All the thirty-four clues hidden in this puzzle have to do with water. You can start SCRUBBING the floor, or HOSING down the concrete path, and if it is hot you can go BATHING. Perhaps you would like to try SURFING or racing in your POWER BOATS.

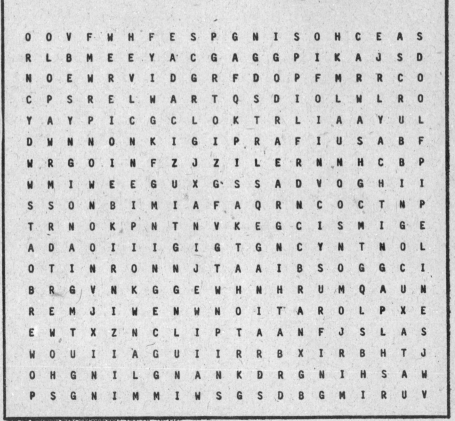

```
O O V F W H F E S P G N I S O H C E A S
R L B M E E Y A C G A G G P I K A J S D
N O E W R V I D G R F D O P F M R R C O
C P S R E L W A R T Q S D I O L W L R O
Y A Y P I C G C L O K T R L I A A Y U L
D W N N O N K I G I P R A F I U S A B F
W R G O I N F Z J Z I L E R N N H C B P
W M I W E E G U X G S S A D V O G H I I
S S O N B I M I A F A Q R N C O C T N P
T R N O K P N T N V K E G C I S M I G E
A D A O I I I G I G T G N C Y N T N O L
O T I N R O N N J T A A I B S O G G C I
B R G V N K G G E W H N H R U M Q A U N
R E M J I W E N W N O I T A R O L P X E
E W T X Z N C L I P T A A N F J S L A S
W O U I I A G U I I R R B X I R B H T J
O H G N I L G N A N K D R G N I H S A W
P S G N I M M I W S G S D B G M I R U V
```

41

```
D A U S Z S A J H F D H C D C E D I Q G
E J E R E C B S D P O E C R W E M N K M
K D G N C A E D O Y Z S E A N U E N L K
O H O E E R C D E R C T T N C E Z D U B
O F O Z F L D Q N C T R I N R A R I W D
C R H O Y E Y T A U I T U G P I O L Z W
U E H R D T E S B T D L D N E B L Q F A
S N A F B R N H T M D G S D N Q P T T R
L C R T M U D J E R T E A G T E T S J F
Y H I O I N I U D J I S H R V Q R E P C
U X C P M N K C C I O N D C D R Z S E L
I D O O X E E N B Y S D G E N E W L A Q
N S T V D R S A A I E H Y D R A N U N S
L H G A O K E S T R S E M E G L P U L
A T W M J E J K L H W P X L U T O B T I
W T S A D J P A G A B L Q T L S N A H W
E E F F O C S C J W U I J Y Q E H I P D
W A R D O R E Z I R P T O K U R D Y M J
```

49. PEAS AND BEANS

What type of peas do you like? You will find
TINNED ones and GARDEN ones hidden in this
puzzle list, as well as some HARICOT beans,
which can be BLANCHED. You will also find some
SPLIT peas for the soup, and SLICED beans for
your salad.

B -----	F -----	M -----	S -----
B -----	F -----	P -----	S ----- R -----
B -----	F -----	P -----	S -----
C -----	G -----	P -----	S -----
C -----	G -----	P -----	S -----
C -----	H -----	R --	S -----
D -----	K -----	R --	S -----
	M -----	R -----	T -----

50. BREAKING IN A HORSE

TRAINING a horse is very important, and you must teach it to GALLOP and CANTER. Put the SADDLECLOTH on first, and then check the REINS. You will also require lots of PATIENCE as you search for the thirty-four words hidden here.

```
E B A K T J G O I E D A R A P Y Q N A M
D R P I G F G R V O L K G P O L L A G E
I I B C L N E I A N A H K M Y G U M C G
R D C A I T S A Y L O R T N O C S N S M
T L L P N H I H B C T B H M F K E E X P
S E M A I A C O T A E V L S H I C V M S
U U C Y G L R W E O C C T F D A N O C W
J X Q B H T E Q Z K L E N E P E D H Z D
U E W K Y E X S I R K C B A L S O Q R S
K C H P C R E O P N O O E D D O V B F H
G N I M O O R G A V W D D L L I G Z G O
O E P Z A D D L C R P A E I D N U V N W
Z I Z S Q B B D P T S U N O I D X G I D
G T E S S E N R A H M G R T P R A C N L
M A P Q E F O Q R P T G T R E P J S I E
T P T O P O R C H L A O E I I K S I A I
J G N I K C U B T I R E N D Q T J G R F
D B X Z G Q C B T T B S K H V Z S R T D
```

51. BLOWING IN THE WIND

Watch the CLOUDS scuttling across the sky, and the CANDLE FLAME flickering as the wind blows. You will hear the TREES rustling, and see the STEAM from the kettle and the SMOKE from the fire. There are thirty-five items hidden in this puzzle.

```
N R O C V C M K W V S S S T C D M G C S
K Q Q R J W V Z N T E H X B A P C A O Y
V I N E L L O P E M E M S N S N T B N E
I T T B P Q A A U S F S D N I K B O F L
S S W E B R M F A P N E N L I E G K E R
F E X A E A T I N O L L A N E N F N T A
C E H T S S L C S I R B S C Q A W Q T B
P A T C U H L L O T R A D Z E V V O I N
K I N A N O I N O E X C E N J R F E D I
L H H D U A C N D O B D X V I E L W S A
O X I D L L R I G U N A T X N H O O E T
E Y S T O E L B N M N E F R R T W N E R
R Z S C A G F T R I A H C I E A E S E U
A S K P G E I L E A X R W U X E R P D C
G L M N R N H H A Y N E O T Z W S U R I
K A A O G A I W C M Z V Q F I O S Q L A
Z H L I K V Y I U R E O N V Q T D G A T
T V Y F K E Z Y O C Z L S R E H T A E F
```

44

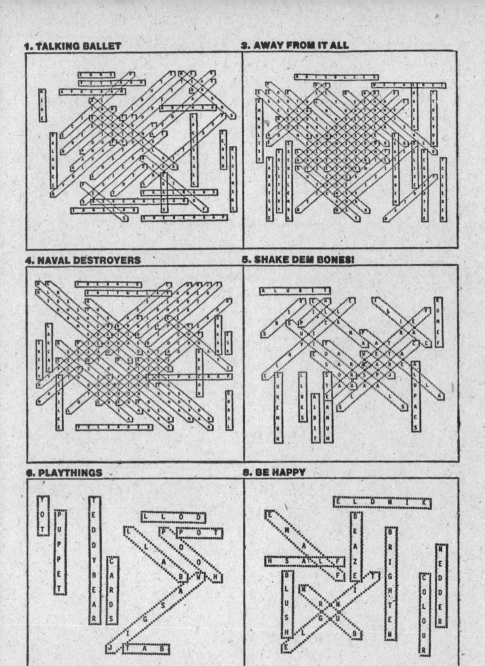

1. TALKING BALLET

3. AWAY FROM IT ALL

4. NAVAL DESTROYERS

5. SHAKE DEM BONES!

6. PLAYTHINGS

8. BE HAPPY

45

9. GLOW

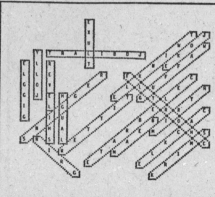

10. FLYING YOUR KITES

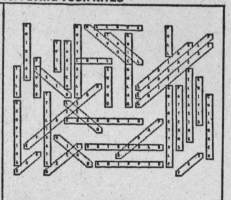

11. AMERICAN POETS

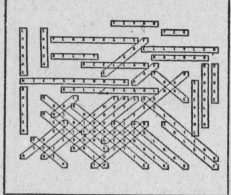

13. CRANES FOR LIFTING

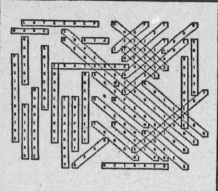

14. CARPENTRY

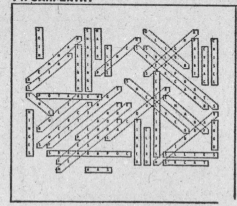

12. OCCUPATIONAL SURNAMES

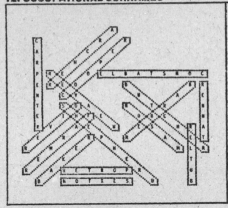

Archer
Baker
Barber
Butcher
Butler
Carpenter
Constable
Cooper
Diver
Farmer
Mason
Porter
Sexton
Shepherd
Tanner
Weaver

28. MAKE FOR WALKING

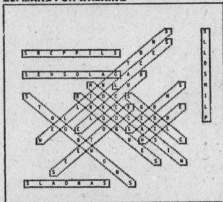

Bootees
Brogues
Buckle
Clogs
Galoshes
Hide
Laces
Moccasin
Plimsolls
Sandals
Shoes
Slippers
Snowboots
Wellingtons

15. HE REALLY MEANS IT

16. SHOCK

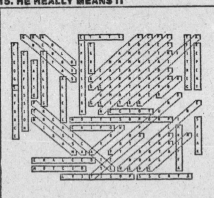

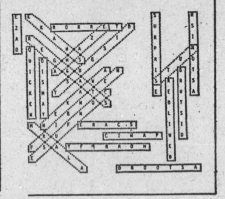

47

17. POWERED

18. BIRDS

19. SPECULATION

20. SOME PORTS OF THE WORLD

22. WIMBLEDON CHAMPIONS

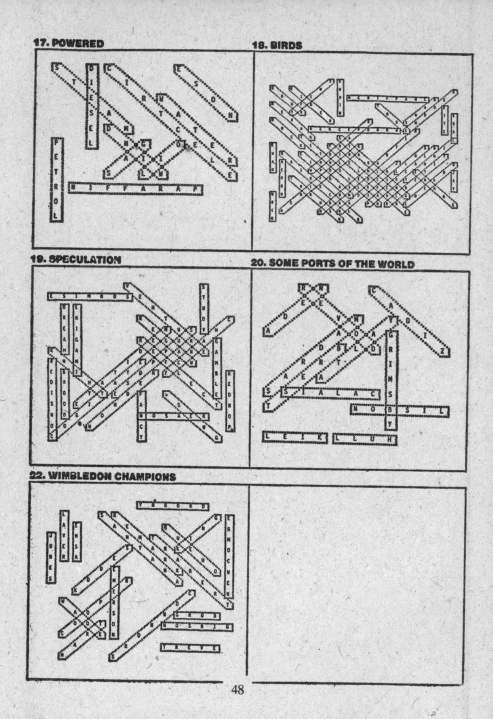

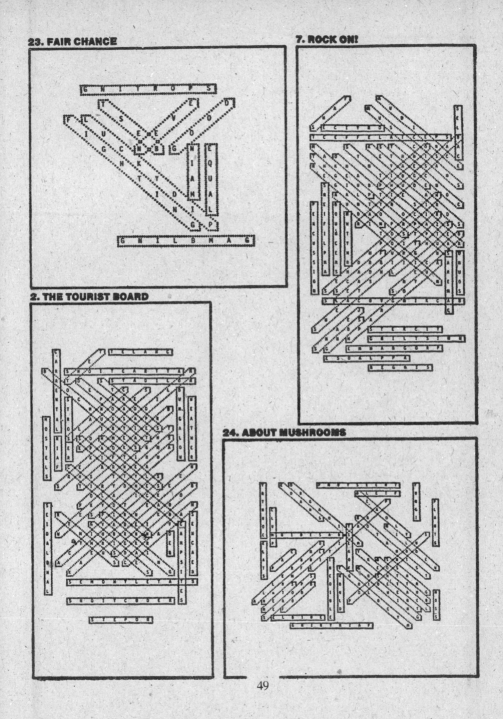

23. FAIR CHANCE

7. ROCK ON!

2. THE TOURIST BOARD

24. ABOUT MUSHROOMS

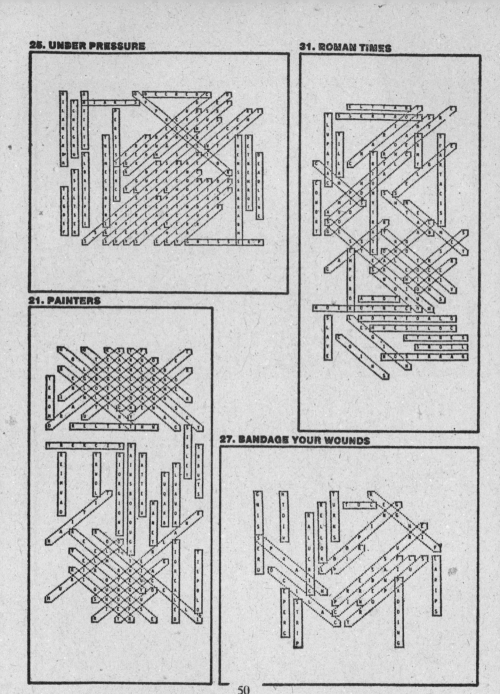

25. UNDER PRESSURE

31. ROMAN TIMES

21. PAINTERS

27. BANDAGE YOUR WOUNDS

50

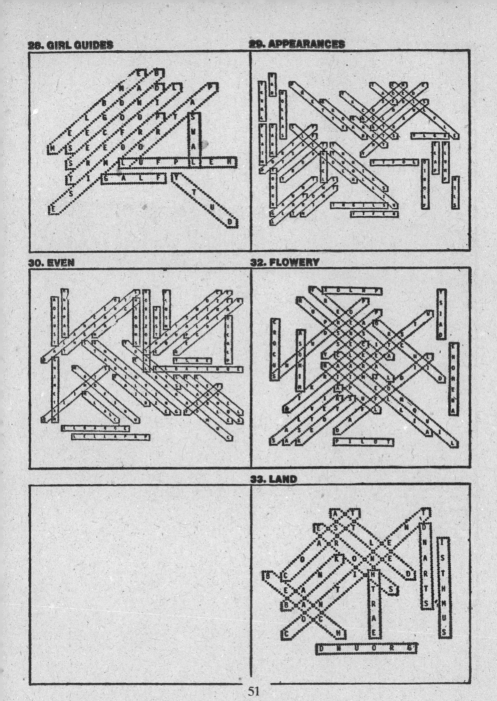

28. GIRL GUIDES

29. APPEARANCES

30. EVEN

32. FLOWERY

33. LAND

51

34. PARACHUTING

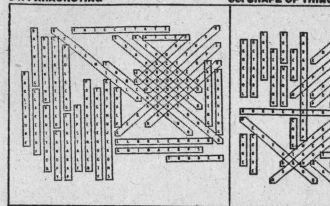

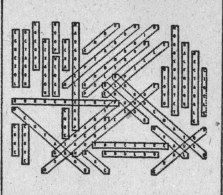

35. TEMPTING

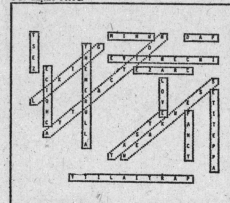

Allurement
Appetite
Attraction
Choice
Craze
Fad
Fancy
Incentive
Liking
Love
Partiality
Taste
Weakness
Whim
Zest

41. KEY PERSON

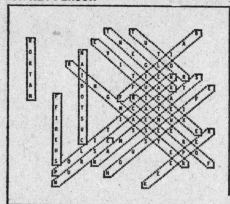

Bailiff
Custodian
Executive
Foreman
Housewife
Keeper
Matron
Nurse
Politician
Regent
Ringmaster
Sheriff
Statesman
Tutor

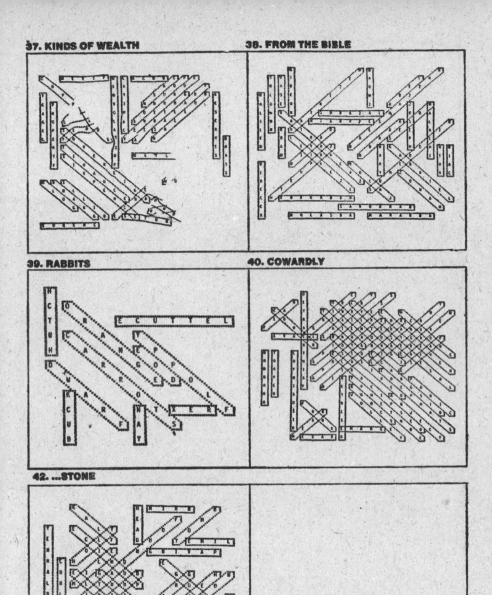

37. KINDS OF WEALTH

38. FROM THE BIBLE

39. RABBITS

40. COWARDLY

42. ...STONE

53

43. MEANS OF ACCESS

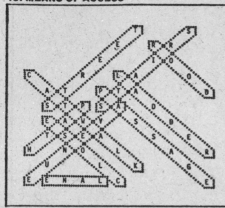

44. SOUND EFFECTS

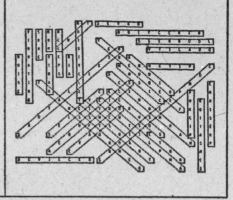

45. HITCH

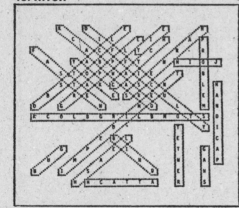

46. MUSICALS

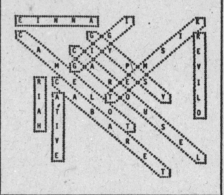

HARDER PUZZLE SECTION

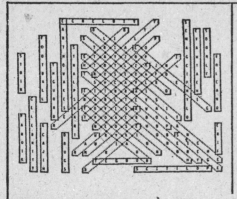

47. HITTING THE HEADLINES

Avalanche
Birth
Blizzard
Bravery
Budget
Celebrity
Drought
Drugs
Earthquakes
Epidemic
Fire
Floods
Football
Heatwave
Hi-Jack
Honours List
Inflation

Invasion
Kidnap
Murder
Olympic Games
Politics
Pools Winner
Power Cuts
Riots
Robbery
Royalty
Siege
State Visit
Strike
Tornado
Transplants
Violence
Volcano
War

48. TO DO WITH WATER

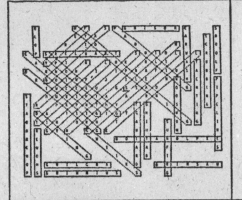

Angling
Bathing
Canoeing
Car Wash
Diving
Drainage
Drinking
Exploration
Ferry
Floods
Hosing
Hydroplaning
Irrigation
Laundrette
Life-Saving
Lifeboat
Monsoon
Paddling

Pipelines
Polo
Power Boats
Rowing
Sailing
Scrubbing
Shower
Ski-Jumping
Skiing
Slalom
Sponging
Surfing
Swimming
Trawlers
Washing
Yachting

49. PEAS AND BEANS

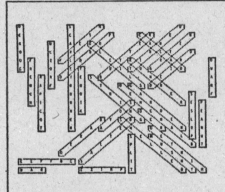

Baked
Blanched
Butter
Cacao
Coffee
Cooked
Dried
Dwarf
French
Fresh
Frozen
Garden
Green
Haricot
Kidney
Minted

Mushy
Peanut
Podded
Prize
Pulses
Raw
Red
Runner
Salted
Scarlet Runner
Shelled
Sliced
Soya
Split
String
Tinned

50. BREAKING IN A HORSE

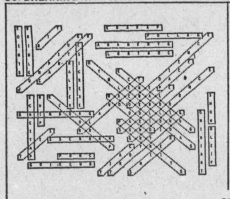

Bit
Blanket
Bridle
Bucking
Canter
Control
Crop
Exercise
Field
Gait
Gallop
Grooming
Guidance
Gymkhana
Halter
Harness
Jumping
Obedience

Pace
Paddock
Parade
Patience
Reins
Rodeo
Saddle
Saddlecloth
Schooling
Seat
Show
Stirrup
Stride
Training
Trotting
Whip

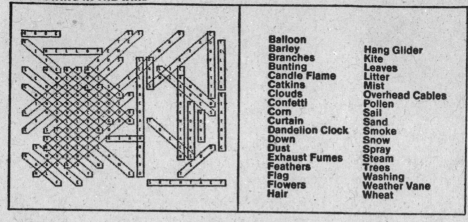

Balloon
Barley
Branches
Bunting
Candle Flame
Catkins
Clouds
Confetti
Corn
Curtain
Dandelion Clock
Down
Dust
Exhaust Fumes
Feathers
Flag
Flowers
Hair

Hang Glider
Kite
Leaves
Litter
Mist
Overhead Cables
Pollen
Sail
Sand
Smoke
Snow
Spray
Steam
Trees
Washing
Weather Vane
Wheat

FORM A WORD

Answers to this section on pages

88 – 94

1. BEAUTY AND HEALTH

BALANCED DIET
BLUSHER
BRUSH
CLEANSING LOTION
COLOURANTS
COMB
DRY SKIN
EXERCISE
EYEBROW PENCIL
EYELINER
EYESHADOW
FEET

FLUORIDE
GREASY HAIR
HYGIENE
LEGS
LIP GLOSS
LIPSTICK
LOOSE POWDER
MAKE-UP
MASCARA
MOISTURISER
NAIL VARNISH
NORMAL

PERMS
SETTING LOTION
SLEEP
SPOTS
TEETH
TONER
WAIST

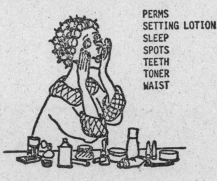

```
A H G V C D H J M M G Z H Q F P B H S L
O H L O B S R A S R D A H Y F A B T G A
R O M O U I S E E M K O V L L R L E E E
E B N R E C Z A D E R M T A C H U E L S
S D B A A N S R U W Z E N M J I S T Q I
I S I R I Y E P E D O C P R K C H Z Y C
R T A R H L L I C N E P H O R B E Y E R
U N Q A O A V Z G D O K E N W S R A D E
T A I D X U Y A D Y O T C S Y U J G N X
S R R S H O L I R M H M B I O K F I S E
I U E S X N E F P N I L V M T O K R T F
O O N O I T O L G N I T T E S S L Y O Y
M L I C O E Q K Y E O S B E Y B P E P D
T O L L S S O L G P I L H R E S I I S M
S C E S O J E U J Y S Z D Z O F M L L L
I I Y F H N O I T O L G N I S N A E L C
A P E U M G Y W T Y U Z F K W S Z L Z B
W P A P W O D A H S E Y E P E E L S Z T
```

2. COLOUR ME IN

```
Y M Y V B D F N D P D A T X H
C K R G E E E L N B M E V U H
R R R Q C E O R J S L V J J I
E E E Z R G P Y N O O P A M P
A P H G L E G O I K N J F N U
M P C U A A T V H S V A O S B
J O J C Q F V O Z M H R V A P
K C O S H Z L E D T F C P Y R
G C M C E L O L N F E R A V Y
K W E C E M I R A D I R W E J
W M V Y B L E S A C F B A K P
F M I B A E J R O N S R B L N
A N L C D D I T A I G L R J C
W E O Y E R G G G L U E U I D
N P O J P Q F Y E E D X Q H J
```

APRICOT
BEIGE
BLUE
CHERRY
CLARET
COPPER
CREAM
EMERALD
FAWN
GOLD
GREEN
GREY
LAVENDER
LILAC
MAROON
NAVY
OLIVE
ORANGE
PEACH
PEACOCK
RED
SAFFRON
VIOLET
YELLOW

3. DECORATIONS

BANGLE   FRILL
BEADS   JEWELS
BROOCH   PAINT
CHARMS   ROUGE
FLAG   SASH

```
O L L I R F I G B O T
H E L G N A B N A Q P
A C V P M G V R G L J
Y X O P A G T R V G F
F U Z O U I O A S U Q
K Y M Q R V N A M C V
F P H P B B K T R Y W
Y S L E W E J D A V U
H S A S G P A K H V H
E X E G U O R D C P Y
K U X R I J D K S V R
```

60

4. BUTTER

AGITATE
BEATER
BUTTERMILK
BUTYRIC
CAPRIC
CAPROIC
CAPRYLIC
CHURNS
COWS
CREAM
CULTURE

ENZYMES
FAT
GLOBULES
GLYCEROL
GRAINS
LAURIC
LINOLEIC
MILK
MILK FAT
MYRISTIC
OLEIC

PALMITIC
PAT
PRESSURE
PROTEIN
RIPENING
SALT
SEPARATOR
SERUM
SOURING
STEARIC
VITAMINS

```
J  P  P  S  N  R  U  H  C  C  S  B  A  C  I  O  R  P  A  C
N  S  R  K  J  L  N  W  I  E  S  U  E  S  R  E  G  K  V  Y
C  N  O  U  F  M  O  E  L  R  B  E  N  F  D  M  N  Q  F  X
I  I  T  Y  Y  A  L  U  V  U  C  I  R  P  A  C  I  P  K  C
L  A  E  P  V  O  B  C  T  T  M  V  S  U  X  P  R  C  D  L
Y  R  I  O  N  O  I  Y  L  A  G  E  E  M  M  H  U  R  B  G
R  G  N  I  L  R  R  A  T  O  M  F  P  R  B  F  O  K  Y  K
P  E  L  G  U  I  S  I  X  Y  V  A  A  G  U  C  S  O  C  L
A  R  Z  A  C  M  V  W  Z  H  L  G  R  B  T  X  U  T  I  J
C  U  L  D  B  Q  Y  N  R  M  S  N  A  L  T  N  L  C  A  G
K  S  V  P  E  T  E  R  I  O  C  I  T  K  E  N  E  N  T  F
J  S  N  P  A  P  A  T  I  R  L  N  O  O  R  H  C  W  B  C
L  E  A  D  T  O  I  F  E  S  C  E  R  E  M  M  U  Z  Y  I
E  R  J  C  E  C  S  A  K  U  T  P  I  W  I  Q  L  B  C  R
M  P  X  G  R  W  M  K  A  L  J  I  Y  C  L  F  T  S  U  A
I  P  A  F  O  U  K  X  N  K  I  R  C  S  K  S  U  Z  S  E
L  G  A  C  E  T  A  T  I  G  A  M  J  A  Q  D  R  F  P  T
K  O  S  T  L  O  R  E  C  Y  L  G  D  A  C  V  E  B  D  S
```

5. TRIBES

AFRIDI
ASHANTI
AZTEC
BANTU
BLACKFOOT
BRIGANTES
CHIPPEWA

CHOCTAW
COMANCHE
COSSACK
DREE
DYAK
GOTHS
IBO

ICENI
INCA
IROQUOIS
KAFFIR
KIKUYU
KIOWA
KIRGHIZ

MOHICAN
NAVAJO
NEZ PERCE
PUITE
SELGOVAE
SEMINOLE
SILURES
SIOUX
TRINOVANTES
VIZIGOTHS

Puzzle submitted by reader Mrs. D. Strachan, Chessington, Surrey

```
N A C I H O M U N H E S F I Z D G T W E
K C K K A D E I V B R Y G N Y B O M D R
P A L B B W R V D W J M J C A W M P F J
Z U Y X R N O E K I G F Q A X C A L F J
A N H D I I A I E C R E P Z E N N D W R
O P Q F G C R V K I J F R L Y T C D O M
M X E U A E Z S A S O U A I R O H M S N
V E V E N N I G H J I K Y I F D E E G P
Y E D D T I R G A T O O N U C F M U U U
I A K B E K T S W S O O U O K I A I V X
Z V G I S T H O I A V G S Q N I T K C N
A O T Q R A X L O A T S I O O E K B H D
M G I X N G U R N F A C L Z X R U J I K
N L I T U R H T S C K E O A I T I Q P Q
G E I M E O E I K H Q C Z H N V A R P X
V S W S I S I Z Z V T T A A C W B Y E K
N W J O O B I S K V E O B L X F G U W E
U B O Y J X K Q W C S J G J B U X J A N
```

62

1. Arrangement to meet
2. Makes hair lighter in colour
3. Stain or dye
4. To clip
5. They keep hair in place
6. Fluid applied to hair
7. Waves your hair
8. Wash soap out
9. For cutting things
10. To fix
11. Wash your hair with it
12. Droplets of seawater
13. Shade of colour
14. Neat and tidy
15. Clean with water

1. A————————
2. B————————
3. C————
4. C———
5. H————————
6. L———
7. P————
8. R————
9. S————
10. S————
11. S————
12. S————
13. T————
14. T————
15. W———

6. AT THE HAIRDRESSER'S

O	O	P	M	A	H	S	D	K	M	B	U	Q	M	I
L	X	Z	C	T	U	C	B	I	L	P	O	C	X	Y
Z	S	Y	J	A	S	J	P	E	M	O	D	Q	D	A
R	P	H	G	H	X	M	A	W	L	O	R	G	U	K
B	R	N	A	F	W	C	A	T	E	S	X	P	V	S
K	A	V	Z	I	H	C	I	B	S	H	L	T	J	C
C	Y	L	F	I	R	J	M	E	P	M	I	R	T	I
O	I	Q	M	M	J	P	M	M	R	E	A	L	L	S
X	P	G	X	O	A	D	I	T	M	U	R	L	O	S
P	R	G	Q	J	T	S	Q	M	P	D	O	M	T	O
P	E	T	O	A	M	D	H	I	S	R	R	L	I	R
I	N	Z	T	M	M	C	T	O	A	M	I	F	O	S
C	D	M	B	L	E	I	S	P	X	R	T	M	M	C
S	I	D	M	T	M	F	M	P	A	C	S	E	S	X
T	M	B	Q	F	A	G	K	A	V	M	L	J	S	E

A DOUBLE PUZZLE
Solve the clues to find the list of words hidden in the puzzle. The answers are in alphabetical order.

7. MOSAIC TILES

ADHERS
APPLIED
CEILINGS
CEMENT
CHIPPED
COLOURS
CRAFT
DESIGN
DEVELOPMENT
FINE
FIRMLY
FLOOR
FORMATION
FUSED
INSTRUMENTS
LAYER
MARBLE
MECHANICAL
METHOD
OPERATIONS
ORIGINALITY
PATTERN
PITTED
PLASTER
PRACTICE
RANGE
ROUGHENED
SECTION
SEQUENCE
SKILL
STONES
SURFACE
TESSERAE
THICKNESS
TRANSFER
TROWEL
WALLS
WORKING

```
K I K B Z Y S G N I L I E C
C F Z N R E T T A P Q T Y I
Y L B S I O M F F I L F N H
T A V U U C U L A Y D S T E
R C R R J N O G S R T S M Q
D I G F E O O E H R C A A D
Q N N A R H N I U E R D M O
E A I C Z O C M T B N V C H
N H K E T Q E S L A Y E G T
I C R S M N R E E J M F D E
F E O K T E D W C E R R N M
D M W S H A E U N S D Z O A
J G S D V A S T E K D S Z F
D O A D R A U U U I H P J A
E P R S U E F X Q L T L A D
S G R I S W F Y E L S A T E
I E Z A G E A S S E F S N P
G N R Q C I N L N E I T E P
N J T T E T N K L A K E M I
C O O C T A I A C S R R P H
V O P V R Q R C L I T T O C
P O L E S V T E E I H L L I
W I T O R E W C S H T T E Y
T F T O U A C Q L S W Y V F
R K A T R R T T F P E C E I
O T C E E Z S I I J G T D R
W G Y G W D E L O O F V K M
E A X P E G N A R N N Q O L
L V G D E I L P P A S A I Y
```

64

8. THINGS TO AVOID

ACCIDENT
ADDER
ANT
ASP
BEE
BLACK WIDOW
BRAMBLE
BULL
CRAB

FROSTBITE
GERMS
GNAT
HORNET
INFECTION
JELLYFISH
LOBSTER
MOSQUITO
NEEDLE
NETTLE
PIN

POISON IVY
QUARREL
QUICKSAND
SCORPION
SHARK
SKUNK
SUNBURN
THISTLE
THORN
VIPER
WASP

```
S T S U E G T E U S C B F B Y H B C T H
U H M J N J Q T M W E R R B F X Y W S J
N O N A H K Q P Z E O A R A Z B S I F Y
B R T D I V L N N S M E N E H S F S Q I
U N K I S E O O T B D T V R T Y N Q J K
R L A D R I T B L Q T Q K P L S B A S I
N Z T R P I I E I C C N U L E Q B U A E
D Y A R U T F N S L R C E I V L G O L E
L U O Q E R F C Z S A J U D C I T Q L L
Q C S A C E V W D K B P H E I K P T V V
S O O F C E A E H U M J A Y L C S E E T
M X D T S S Y V I N O S I O P T C A R N
H N I S P S F A G K O V P Z G V S A N Y
D O E A H V O W D V M E U E J N I I E D
N R R E S A L W O D I W K C A L B Z H Z
Y M D N D P R I L L E E Q S M R E G T T
O X W I E L J K V R O R B H U N M I P C
M G V K R T E C U D U Z Q W N K V N R Z
```

65

9. GERMAN FIELD MARSHALS AND GENERALS

BALCK
BLOMBERG
BLUCHER
BOCK
BRAUCHITSCH
FRIEDRICH
GNEISENAU
GROENER
HINDENBURG

JODL
KEITEL
KLEIST
KLUCK
KLUGE
LEEB
LIST
MACKENSEN
MANSTEIN

MANTEUFFEL
MODEL
MOLTKE
PAULUS
REICHENAU
ROMMEL
ROON
RUNDSTEDT
SCHLIEFFEN

SCHORNER
SEECK
WALDERSEE
WEICHS
WITZLEBEN
WRANDEL
WREDE
YORKE
ZEIZLER

Puzzle submitted by reader Miss T. Benson, Aldershot, Hants

```
W K E K E O B B K K U K R L H G W O T P
E N D N A K P L L L L K E E I X I M L U
I F E E I B R L O U E F C C N Q H I N A
C E R F A E E U G M F I C E D E S U E N
H N W L F D T E N U B N S B E T O Q B E
S G C E N E X S E D E E R T N S H R W H
U K N A E E I T N S S A R M B J I S G C
N R R E K S N L N A U T J G U K F X M I
G W U R B A R E H C M C E L R I C Y N E
Y N O P M E K E H C U S Z D G M S U J R
I Y E E R C L I D L S W V X T X Y N L J
S L S I A E T Z E L H C I R D E I R F K
M R E M S S N M T Q A B E E L M V E O W
F O L D C E M R B I J W S U L U A P T S
U O F H O O N A Q O W O O T K C O B Q S
H N V C R M V A D H E K T L O M W F H N
R E L Z I E Z L U N C J S R E H C U L B
E D H L E T I E K J M S I M D D G P M S
```

66

10. GIVE IT A NAME

ANTONYM
BAPTISM
CALL
CAPTION
CHARACTERIZE
CHRISTEN
CLEPE
COGNOMEN
DEFINE

DENOMINATE
DESIGNATE
DUB
ENTITLE
EPITHET
EPONYM
EXPRESSION
HEADING
INTITULE
KNOW AS
LABEL

NAMESAKE
NAMING
NICKNAME
NOMINAL
NOUN
SPECIFY
STYLE
SURNAME
TERM
TITLE
TITULAR

```
E M Y F W N S K W S E L S H T G C C L M
C B W I M I A V R A L U T I T C A H C P
R R N P A C W O S O R I X V O P D R O T
H S A X B K O L A N I M O N T B N I G E
H D T S I N N H A X E B O I Y I U S N R
M H E Y S A K M Y A Z O O F D Y O T O M
E R E S L M E B U D I N I J E T N E M E
E N G A I E Y M A G R C U H T M N N E P
X M R U D G X X E P E L C X A Y W Z N I
P N V R O I N F Y P T G A R N N K V S T
R W A L E Q N A S Q C D M Y I O M H W H
E L E M V L M G T S A G Y M M T G S P E
S Y E B E S U C C E R N N E O N F J L T
S T A B I S W T O D A I O E N A L T W S
I C I T A M A R I J H M P W E I I L X P
O Q P T C L U K U T C A E N D T F V A P
N A B X L I Y G E F N N U U N R I E Q C
B C Z O I E Q V H E I I I E J N P Z D X
```

```
S  Z  H  M  L  M  Q  R  Q  T  P  F  S  D  M  C  J  M  G  O
B  T  A  P  A  E  L  F  H  C  B  M  I  J  P  I  Y  S  W  M
K  F  N  L  W  A  L  T  N  Y  O  F  G  E  K  I  E  H  F  J
I  E  N  A  N  D  A  R  D  N  U  T  E  V  L  G  L  R  O  P
G  W  A  I  K  O  B  Y  L  L  I  O  T  H  C  D  L  U  E  T
I  Q  V  N  H  W  J  P  N  I  A  T  N  U  O  M  A  B  V  U
K  Z  A  N  J  S  I  U  A  I  W  F  R  I  T  C  V  B  H  R
R  M  S  T  Y  T  F  B  N  V  R  C  O  O  E  F  Y  E  H  H
A  T  J  S  S  N  H  L  H  G  X  U  O  J  O  Q  V  R  Q  E
P  Z  M  S  M  E  L  I  E  M  L  W  B  M  O  M  V  Y  I  F
C  W  C  P  B  I  R  D  C  R  M  E  I  N  M  D  W  R  T  Z
P  C  M  I  H  J  E  O  S  K  G  S  H  U  M  O  I  P  L  M
Y  H  W  N  T  W  X  O  F  A  E  H  N  N  A  A  N  L  Z  E
G  V  E  N  N  S  F  W  V  T  E  T  E  W  R  E  E  D  T  S
H  R  J  E  N  F  R  L  K  A  H  D  T  P  O  D  T  G  H  A
U  Q  O  Y  L  E  I  U  T  M  R  L  C  D  R  D  H  A  F  H
P  R  L  V  R  I  L  H  H  A  O  H  E  S  P  O  C  J  L  C
Z  P  F  T  E  Z  U  G  G  H  E  W  M  T  A  K  R  X  A  P
```

11. GREEN PASTURES

CHASE	JUNGLE	MEADOW
COMMON	LAWN	MOOR
COPSE	LEA	MOUNTAIN
DELL		PARK
DOWNS		PLAIN
FIELD		PLATEAU
FOREST		PRAIRIE
GARDEN		SAVANNAH
GLEN		SHRUBBERY
GROVE		SPINNEY
HEATH		THICKET
HILL		TUNDRA
HOLT		VALLEY
HURST		WOOD

12. TEMPLES

ACROTERIAN	DORIC	ORNATE
ARCH	ELABORATE	OSTENTATION
ARCHITECTURE	ENGINEERING	PEDIMENT
ARCHITRAVE	ENTABLATURE	PROPORTION
CAPITAL	FRIEZE	RAMP
CARVINGS	GRANDEUR	ROMAN
COLUMN	GREEK	SHAFT
CORINTHIAN	HEADS	STYLOBATE
CORNICE	IONIC	TYPICAL
DEVELOPMENT	ORDER	VAULT

Puzzle submitted by reader Mrs. L. King, March, Cambs

```
G A S C R N F Z H U N O I T R O P O R P
L Q J K P D K L A C I P Y T Y O A I R P
E R U E D N A R G B K D G V W A C K F G
N H E T A R O B A L E G N I L V R Z W C
G E H P L I N N T V E A V F L P O E C L
I A C S G A D T E L I T B H S Q T R W A
N D R I C O R L P H U S A P Z K E U N T
E S A T R J O C T L G A E N O T R T Z I
E O E I J P S N H N E D V S R S I A C P
R K C V M S I R I I I Z T E T O A L O A
I G E E A R H V P M T E E Y N E N B R C
N B N T O R R A E C N E L I N G L A N R
G T H C E A T N F T E O C M R I Z T I D
R J L D C G T I A T B Z U T Y F X N C C
O H R M R C D T H A H L X Y U D Q E E I
M O A E T J I I T C O J E S M R C A N N
A H E M N O A E L C R P M A R G E W M O
N K T L N K Z V M H K A C V M D K N V I
```

69

1. Outer covering of a tree
2. Shout loudly
3. Cry of a goat
4. Sound of a donkey
5. Idle talk
6. Sounds inexpensive
7. Weep
8. Eat greedily
9. To sound a motor horn
10. Dogs do this
11. Not high
12. Make a cry like a horse
13. Contented cats do this
14. Rough, harsh sound
15. Brass wind instrument
16. Small dogs do this

1. BARK
2. B——
3. B——
4. B——
5. C——
6. C——
7. Cry
8. G——
9. H——
10. Howl
11. Low
12. Neigh
13. Purr
14. S——
15. T——
16. Yap

A DOUBLE PUZZLE
Solve the clues to find the list of words hidden in the puzzle. The answers are in alphabetical order.

```
P A Y O K H Y Q X B O Y N Z C
D H E A F O V V I R O X I B U
G W U H X O U Z E A Y Q I E N
B T Q R J T N H P Y X B I Q U
C Z U L O Z N S M N J W N D R
T R W G L D Y K U I C K R A B
I O Y O L E B F R V U H Z L M
H Y O B R A B M T J G R Q W C
V V D B O X K R F I B A K H S
B K H L T O E M E T Y F E I X
P L M E U T M N S D I E U D U
U U E G T P M N L N P I C X C
R F P A Y T O C H B N W U Y V
R L H H T R W L T F R Q O H L
R C V Y T U U U C T N T U L M
```

13. ANIMAL AND BIRD NOISES

70

14. FAMOUS BATTLES

```
S X T O L U A V A T L O P A T
W U S U R U A T E M I S M Q K
K A Q B E L A X U J Y P S A W
V F T U S R E N V R U E G J A
X B F E B O D A A N G I N K T
S H L E R B T C N R G Y I F T
R P L E L L U N U S J U T P O
U A E S N S O B M A P L S A X
O Z I T E H O O A G N L A P X
T T Y S T T E M X O C E N T F
G V T A U D E I G T Y M L A V
N T R E O H W L M A G Z L Z B
Z A T X N N V Z X R B I S B F
M D E R H R W O C A V F I Z D
Q M A W M C Y B E S A N Q L W
```

ARNHEM
BLENHEIM
HASTINGS
MARATHON
METAURUS
NASEBY
ORLEANS
POLTAVA
SARATOGA
SYRACUSE
TEUTOBURG
TOURS
VALMY
WATERLOO

15. FILM DIRECTORS

BROOK
CAPRA
CLAIR
CRAIG
DISNEY
GIELGUD
HALL
KORDA
OLIVIER
REED
TREE

```
Y N K M U C V U D V O
H Z L U A T G I J H C
S Y N P K I S D T J R
H Y R O A N O T E I Q
E A O R E T L G J E C
Y R C Y O M I I A I R
B K D L P G V E T L R
U Q O G A X I L R L L
I L H R C I E G E A H
B X B B D B R U E H H
W T D R E A D D G O R
```

16. REMOVAL DAY

BEDS
BOOKCASE
CARPETS
CHAIRS
CHINA
CLEANER
CLOTHES
COOKER
COT
CROCKERY
CUTLERY
DESK
DISHWASHER
DRESSING TABLE
FURNITURE
GLASSES
LIGHTS
LINEN
MEN
MIRRORS
ORNAMENTS
PANS
PANTECHNICON
PICTURES
PLANTS
POTS
PRAM
PUSHCHAIR
RUGS
STOOL
TELEVISION
TROLLEY
VAN
VASES
WASHING MACHINE

```
E S A C K O O B F L V H R O
C R N K E O T B A N I H C I
H E N O I S I V E L E T I Z
G L M B R N K D Q X G F F H
Q B E R G U E Z W A N J R O
Y A R X E S P S T E P R A C
R T G E K N G P M S E S A V
E G P C H W A U T Y T V V Z
L N D I O S F E R O H R M W
T I D L C O A T L Z C P G P
U S Y S P T K W P C U A A V
C S S G R Q U E H V V N Y J
A E D N V T P R R S T S R C
D R E J K A R H E E I L E Y
G D B F A Y N O C S G D K V
W I O S P W W H L L R U C W
H A T H L U M I I L G N O T
G O S O O I S N C L E T R G
P L O H C X E H A B S Y C S
S T Y O I N I S C T R P I R
S T N C E N S C N H F S S O
H M N S K E G A L U A D Q R
N I P E S I L M R O T I I R
H C S L M P W N A I T N R I
T H A T N A I M C C E H O M
I A I W H T N A W M H L E U
E I I Q U G Q R M C K I O S
A R L R R H I P O L N F N G
Y S E Z F V X L X Y N K C E
```

72

17. ALL AT 'SEA'

I	Y	V	Q	T	N	S	O	N	P	P	L	W	K	L
M	I	I	R	W	O	O	I	L	G	E	N	B	L	Y
Q	E	O	A	L	J	H	A	R	V	O	I	U	T	S
M	P	L	E	O	C	N	A	E	I	R	G	V	U	N
G	L	G	H	R	E	D	L	L	D	L	X	V	G	S
G	S	H	U	E	N	O	M	E	N	A	P	S	A	E
W	H	C	W	H	G	N	U	L	P	F	I	I	S	R
E	O	K	C	E	W	S	I	H	W	E	N	E	N	P
S	B	R	W	R	G	C	E	A	F	L	K	X	K	E
R	N	B	T	O	D	A	Z	B	T	W	N	O	A	N
A	I	Q	L	H	F	P	E	W	N	P	O	V	T	T
E	R	J	H	S	Y	E	E	S	I	C	A	M	B	A
D	T	F	X	W	E	R	R	F	R	K	K	C	E	N
Q	L	X	P	Z	Z	P	B	O	T	O	H	N	Q	H
J	C	R	H	T	M	S	U	L	Z	T	H	J	T	X

ANEMONE
BIRD
BREEZE
CAPTAIN
COOK
GULL
HORSE
LEGS
LEVEL
LION
PINK
PLANE
PORT
SCAPE
SERPENT
SHORE
URCHIN
WALL
WORTHY

18. A FIRE

ALARM
ALIGHT
BLAZE
COMBUSTION
DANGER
FEAR
FIREMEN
FLAMES
HEAT
LADDER
SMOKE
SPARKS

D	C	A	Z	I	S	T	X	I	B	U
B	A	O	L	O	W	A	V	M	P	T
S	W	N	M	I	R	E	D	D	A	L
M	F	N	G	B	G	H	R	E	B	T
O	L	O	F	E	U	H	K	V	A	E
K	A	K	I	A	R	S	T	D	B	Z
E	M	N	R	Z	L	P	T	F	W	A
Q	E	U	E	K	R	A	A	I	O	L
W	S	S	M	A	L	R	R	K	O	B
U	J	S	E	E	J	K	T	M	T	N
H	E	F	N	X	U	S	D	Z	K	C

19. LANGUAGE OF POTTERS

BANDING WHEEL
BAT
BATWASH
BISCUIT
BODY
CELADON
CHUCK
COMPOSITE POTS
CRAZING
EARTHENWARE
FETTLING

FLUX
FOOT RING
FRIT
GLAZE
GLOST
GREEN
GROG
KIDNEY
LAWN
MAJOLICA
MUFFLE

OXIDISED
PLASTIC
PRESS MOULD
RAW CLAY
REDUCED
SLIP
STONEWARE
THROWING
TURNING
WEDGING
WHIRLER

```
C F U I P L H S T O P E T I S O P M O C
P E Y E N D I K I P R B D B S F U P R E
E R D E C U D E R O E C Q I H S T S Q A
G R E R P J H S M B L E G S F I U T M R
H V G S J H G O A Y R L N C F K O O U T
D I E C S N C T O D I A I U R T S N F H
T F O G I M G I Z N H D Z I I N L E F E
D N O N N R O T T B W O A T T E Y W L N
T E K O E I A U A S R N R I E F W A E W
M U S E T V W T L M A A C H R Y W R P A
T W N I C R W O G D Z L W P A Q D E P R
W U U C D A I N R F B G P M W J H O R E
C E X G S I I N I H N D U L C B E Z B E
Z K D H L L X Q G O I T A C I L O J A M Z
L R I G T O F O D J S W O G A X K P K A
A J X T I L S N X L I Y Q R Y A Z I L L
W D E Q U N A T K C U H C O L Z Y L V G
N F U X P B G L Q W D D S G V G M S U N
```

20. SELF

ADDRESSED
ADULATION
ASSURANCE
AWARENESS
CATERING
CENTRED
CONFESSED
CONFIDENT
CONSCIOUS
CONTAINED
DEFEATING
DETERMINATION
DRIVE
EXPLANATORY
EXPRESSION

FINANCING
FIRING
HELP
MADE
OPINIONATED
POSSESSED
PRAISE
RESPECT
RIGHTEOUS
RIGHTING
SERVICE
STARTER
SUPPORTING
TAUGHT
WILL

```
Y N C D E R T N E C B A E O F T O S V V
Y R O T A N A L P X E D D V T N C G B T
G R I R U E D A M S J D E Q I G V A H R
T N I L E L L I W E N R N X J R N E H A
O O I G F T N R X V N E I G Y D D E S C
A H P T H I R P U F O S A T S I L S O F
W D O I A T R A X X I S T J F P U N I S
A U U G N E E I T X T E N N R R S N H U
W C L L S I F O N S A D O E A C A R P P
A Q O S A T O E U G N C C N I N Z O C P
R E I N B T D N D S I B C O C C S A J O
E O C J F T I G A T M E U I F S T T L R
W Q R I A E I O Y T R S N J E E C E W T
E T E U V J S M N A E G D S R E G S C I
S V G Z R R O S X J T D S I P J D I J N
S H V T T N E V E Z E E N S L O N A A G
T L Z N E Q M S N D D G E L M W L R G U
L G W I T H G I R H W R J Z G G B P X M
```

75

21. IN ADDITION TO

```
U W H N G U V R D X I F F A
R T N E M D D O E S H C I J
G E H A E A A F T H O K F R
D I H J C N U C R M I C L A
S V F S O C N G P I C D D J
G Z Z T E U E L M X N N W Y
N V N R J R E S I E E G R T
I X L D G M F F S D N F E I
M N A A E N E E D O I T E U
M O J N B R I A R X R X M T
I I T G P R L D T O T Y C A
R S N F A D E U D R D P O R
T N A P L I R V A A C C D G
A E Q L A E N R D H P N I C
D T G I P J X N A A I L C M
R X A A P E E O L A M Z I J
P E R T E X Y I R E I W L O
O E N Z N E H T R N D N W S
S D I L D N N C T E G G F U
T S S M A N Z E M X W Y E N
S L H P G A R L I T I A C O
C L N B E E R F E X I V R B
R I Z N S I N N Q T H P P D
I R J T D I W I K S G Z K N
P F O E T N E M H C A T T A
T H R R K D M X F X Q T B P
E Y S E V R E S E R F V P V
M C K Y R A L L O R O C Q K
T N A D N E P W O H S H N D
```

ACCESSORY
ADDENDA
ADJUNCT
ADVERB
AFFIX
ANNEXE
APPENDAGE
ATTACHMENT
AUGMENT
BONUS
CODICIL
COMPLEMENT
COROLLARY
EDGE
EXTENSION
EXTRA
FIXTURE
FRILLS
FRINGE
GAIN
GARNISH
GIFT
GRATUITY
INFIX
INFLECTION
INTEREST
ODDMENT
PADDING
PENDANT
POSTSCRIPT
PREFIX
REFRESHER
RESERVES
REWARD
RIDER
TAIL
TIP
TRAIN
TRIMMINGS

22. CHEESE

```
X A P L C Y B R E D Q W W H F
B F L X A A N O T L I T S F M
D U S O W N M R X L N C T A N
A S F X Z Z C E S V A N E P U
N H C M R N M A M D A R O D P
B T C L A R O W S B C V A K N
O I J M L D P G E H E N G U U
P I E M W E E R R D I R G M J
M M O C K R I ' X C O M R T H T
G Z A E E H K C O H G B E H H
E Z F Y S A Y L E T E W V S N
T X U E G D V B Q S F D K D Y
R R H R S U X B R A T G D I V
G C Z M K O G Y I I N E K A P
T N W W R G X Y S L E K R R R
```

BRIE
CAMEMBERT
CHEDDAR
CHESHIRE
CREAM
DANBO
DERBY
EDAM
GORGONZOLA
GOUDA
GRUYERE
LANCASHIRE
LEICESTER
STILTON

23. COMPLETE CIRCLE

CIRCUIT
COLLAR
DISC
GLOBE
HALO
HOOP
MARBLE
RING
TYRE
WHEEL

```
H W I H Z X L D O C P
A L K L K E A E I D W
L R M F E C F R G D F
O L V H O H C N V R C
H D W L T U I F F S R
M H L Z I R T E I V G
L A O T J G C D T F K
R T P O E L B R A M B
P M Y R P O W R L S F
J B W R L B T R M I H
A B I E E E S E T Q H
```

77

24. DARK

```
K Q Y T E R C E S A E S D F W X W U Y R
R N E E R G K X L Y C U W X F D N Z C N
E U C I D Z N P E U H Q R O A Q N X L R
W R A M L W R S M W O I S W D A N H O E
N D O U O E N Q F I C K M E V A U I U T
A H Q R N R R F R D O F S Y O E H C D N
C D B R R E E S F O L P M E D P P S W A
O Z O Q K W F A L S A V J J Q E G E I L
N C Y E H O F J R I T C E P S O R P R X
T W M Z R T T I R T E T J L R U O L O C
I W F B E S A E J B H V B H X Y G K B H
N I K U E H T Y F V H U H J O Y P V L E
E X F R R I L H U N I R D O Z G R V U T
N K O O L T U O G L C W I S R Q E C E S
T F A R R K N A D I R Y B J N S D S H R
H D O O W T G I G A N X D L S E E M O Z
W O E I P S N Z R E L Q K Z S I A H C Q
M A D R V G M H U I S B U M P W U P O U
```

AGES
BLUE
BROWN
BUILDING
CHOCOLATE
CLOUD
COLOUR
CONTINENT
CORNER
DESPAIR

EARTH
EYES
FOREST
FUR
GREEN
HAIR
HORSE
HUED
LANTERN
LOOKS

NAVY
NIGHT
OUTLOOK
PROSPECT
RED
ROOM
SECRET
SHADOWS
TOWER
WOOD

25. IT TIES UP

ANCHOR
BANDAGE
BELT
BINDING
BOLT
BRACE
BRACES
BUCKLE
BUTTON
CHAIN
CLASP
CLIP

CLOTHES PEG
DRAWING PIN
FISHHOOK
GIRDLE
GRAPNEL
GUY ROPE
HITCH
HOOK AND EYE
KINGPIN
LARIAT
LOOP
NOOSE

PADLOCK
PIN
ROPE
SHACKLE
SKEWER
STAPLE
STRAP
THONG
TWINE
WIRE
ZIPPER

```
U S G B T Q F H G N I D N I B N S I K Q
Q Y J I F T Q N H S D Y A Q O V T L P N
V E G K C O L D A P H D C T O H A E Q I
K N P I C N M O W E L A T L C F P C D A
R H Q O R N I P B G T U C T I O L B V U
E V T U R D Z P H A B A I K R P E O W C
Y H B L E Y L N G D K H I Q L E G V C E
F W R V E G U E F N P J D R Y E P W L N
C Q A E L B E G F A I M S E A X V K Y K
E N C E C F Z P K B Y W D R S L C A N F
P A E W Y A R X S Q H N A D L U S O P I
G K S N Q U R E C E A J A R B S O N P S
L E N P A R G B W K H A T M D S A I G H
O K P A R T S E O E E T P Y E N N P K H
J Z E E E V P O R N K S O E O Q C G B O
J J A G G G H O I I A S K L V C H N Z O
R E P P I Z U W O L W B Z S C W O I P K
P G N O H T T R C L C V U W X L R K C S
```

26. CONTINENTAL WEEKEND

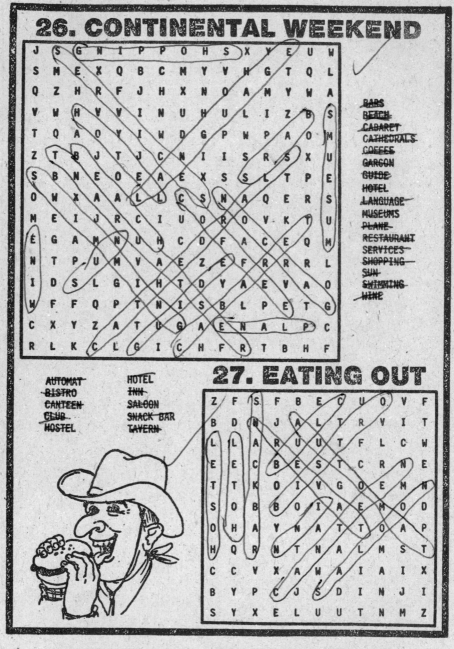

```
J S G N I P P O H S X Y E U W
S M E X Q B C M Y V H G T Q L
Q Z H R F J H X N O A M Y W A
V W H V V I N U H U L I Z B S
T Q A O Y I W D G P W P A O M
Z T B J T J C N I I S R X U E
S B N E O E A E X S S L T P S
O W X A A L L C S N A Q E R U
M E I J R C I U O R O V K T M
É G A M N U H C D F A C E Q L
N T P U M V A E Z E F R R R E
I D S L G I H T D Y A E V A O
W F F Q P T N I S B L P E T G
C X Y Z A T U G A E N A L P C
R L K C L G I C H F R T B H F
```

BARS
BEACH
CABARET
CATHEDRALS
COFFEE
GARCON
GUIDE
HOTEL
LANGUAGE
MUSEUMS
PLANE
RESTAURANT
SERVICES
SHOPPING
SUN
SWIMMING
WINE

27. EATING OUT

AUTOMAT
BISTRO
CANTEEN
CLUB
HOSTEL
HOTEL
INN
SALOON
SNACK BAR
TAVERN

```
Z F S F B E C U O V F
B D N J A L T R V I T
L L A R U U T F L C W
E E C B E S T C R N E
T T K O I V G O E M N
S O B B O I A E M O D
O H A Y N A T T O A P
H Q R N T N A L M S T
C C V X A W A I A I X
B Y P C J S D I N J I
S Y X E L U U T N M Z
```

28. WHALES

ANTARCTIC
BALEEN
BLUBBER
BONE
CALVES
COWS
ENDANGERED
FACTORY SHIP
FATS
FERTILISER

FINS
FLIPPERS
HARPOON
HUMPBACK
KILLER
KRILL
LEATHERY
LULL
MAMMALS

MARGARINE
MARINE
MOBY DICK
OIL
POWER
RARE
SEA
SOAP
SPERM
WHALERS

```
X X J K H V R E V Q P L O D Y R H G S W
L E R C U E F U M F P U E A W E S F E C
S I M I M N S A U P H R X Q H S I E W T
M E O D P R E W O P E X X P Y I S T A C
A G S Y B G H J R G L Z Q I C L E W L H
R V N B A H T A N J Z R G H Y I T B O X
G Z I O C U Z A R M R E P S I T R P W C
A R F M K G D S V P G J T Y S R E A I K
R E O U L N B F T V O L A R C E H O K U
I C N R E E E A P A X O E O Z F B S E P
N S I I E W A W L I F P N T C O K O E M
E S F T R B H T I E P V K C A Y R U N O
N I L P C A B K H I E W I A L G I P L E
Z L S A L R M U L E U N L F V J L B R L
I J X E M R A F L E R V L L E O L A U N
X X R F X M I T M B X Y E S S B R L D T
U S Y G N C A H N T O J R N Z E L Y O Q
S R F B J N A M S A M F S W H V N D B L
```

1. Produce of cultivated land
2. Gash
3. Cause to grow less
4. Subtract
5. Take a part from
6. Make smaller
7. Arrange in order
8. Reduce
9. Chop off
10. Skin of a fruit
11. Get rid of
12. Snip wool from a sheep
13. Curtail
14. Lean, slender
15. Wild plant

1. C————
2. C———
3. D——————
4. D—————
5. D—————
6. D————
7. F————
8. L————
9. L————
10. P————
11. R———————
12. S————
13. S——————
14. T————
15. W————

A DOUBLE PUZZLE
Solve the clues to find the list of words hidden in the puzzle. The answers are in alphabetical order.

M	X	G	V	K	V	M	F	Q	N	M	J	T	R	R
Z	J	P	N	D	E	E	W	P	E	B	X	I	T	W
H	C	O	T	P	T	D	O	C	T	D	H	U	V	D
Z	T	R	E	P	E	L	B	B	R	E	C	Q	U	E
V	Z	E	O	T	P	K	P	D	O	D	A	K	N	C
K	L	O	R	P	Z	T	G	I	H	U	D	I	Y	R
M	C	A	D	Y	Q	X	U	M	S	C	H	P	N	E
L	C	E	L	I	F	I	D	I	R	T	K	U	Q	A
T	I	X	E	O	Y	B	L	N	B	E	S	J	K	S
D	Y	V	I	K	G	P	L	I	V	X	M	I	T	E
B	A	Y	G	H	X	R	W	S	L	M	Q	O	G	U
O	E	Z	U	F	R	A	E	H	S	I	B	E	V	W
T	H	Q	B	I	H	W	F	X	E	S	F	W	P	E
N	J	O	C	P	X	M	K	G	N	E	S	S	E	L
S	P	R	A	F	P	F	T	A	K	D	E	C	R	K

29. TAKE IT AWAY

82

30. DOGS

```
A D X T O M R A M V Y Q Z L R
R R L L A K F G F N H K E J E
Y M E N L L M O O O U I T M G
I W D I O C X D U D N O Z C N
S Y L W R H U N Y A P M E X A
R U Y P O R D R P L X E C B R
E K M U O L E S S G B B E S G
I J N M S I V T B H U A F H M
R D K S R F H E L I C F J T S
R Z O R E S F I R L W Q F P D
E M A G T Q E I O I U Q K U B
T H S O N F L T T L N B Z G F
K C P U I K V W T S M E M U P
R I S U O R S F E E A T V M G
H V M N P J V S W I R M B V C
```

BULL-TERRIER
FOXHOUND
HARRIER
HOUND
MARMOT
MASTIFF
POINTER
PUG
RANGER
SETTER
SHEEPDOG
SPANIEL
TERRIER
WOLF
WOLVERINE

31. CATS

ANGORA   TABBY
FELINE   TIGER
GRIMALKIN   WILD
JAGUAR
LEOPARD
LYNX
PUMA

```
W P X I X Q S A L H. D
T K R K K O M B Y G Z
U Z C Y H U B R N R L
L D R A P O E L X I D
M F X D T I Z R R M A
Z B L E A A A W P A R
Z I R X N U B H H L O
W I P E G I K B T K G
U P B A G X L G Y I N
X F J F G I I E O N A
X N C M F K T L F T E
```

83

32. GIRLS IN POPULAR SONGS

ANGIE
BARBARA ANN
CAROLINE
CARRIE ANNE
CLEMENTINE
DAISY
DELILAH
DIANA
DIANE
DONNA
GEORGY

GRACE
HONEY
IRENE
JANE
JENNIFER
LARA
LINDA
LUCILLE
LUCY
LYDIA
MAGGIE

MANDY
MARIE
MAUD
MOLLY MALONE
PAMELA
PAULA
PEGGY SUE
ROSE MARIE
ROXANNE
SHEILA
TAMMY
TRACY

```
Q Z V A E I G N A J C Q Q J A Y C Z R E
D T W V T L C D P H L T D Ç V A D J J I
M G F P A R C I F I E Y M Y X O E N A R
E E M R E Q K A E N M W W I M Q N Y A A
N O A N C G E N N A E I R R A C O N E M
A R G Z N Z G A Z Y N V E L U K L Q A E
J G G A Q A K Y S R T E I U D C A B I S
Z Y I A Q P A I S X I K R C B A M K D O
B W E C Y L A R L U N Q A Y E D Y P Y R
D Z I C E D H E A Q E T M N N N L G L R
B I A M I N Y Ç E B A U I E T I L R I O
B R A H A L I L E D R L A B L L O A J X
T P I N D G B P J B O A I F Y L M C L A
M I I O E O U J T R M U B E F P I E C H
B V N E N E R I A A U B N Q H K A C K N
W N C S J C W C Y M M O I O V S C U U E
A O A U T A O S Q N H M Y X C Y Q M L L
N R X U R E F I N N E J Y B J F N G F A
```

33. SUFFOLK VILLAGES

BENACRE
BLAXHALL
BLYTHBURGH
BOXFORD
CAVENDISH
CHELSWORTH
CLARE
CODDENHAM
DEBENHAM
EASTON

ELLOUGH
EYE
GIPPING
GROTON
HENSTEAD
HOXNE
KERSEY
LAVENHAM
LONG MELFORD
MONKS ELEIGH
MOULTON

NAYLAND
OCCOLD
PAKENHAM
PIXEY GREEN
SNAPE
SOMERLEYTON
STOVEN
THORPNESS
WALBERSWICK
WEST STOW
WESTLETON

Puzzle submitted by reader Mrs. E. Harper, Alnwick, Northumberland

```
X J G H T U H S B E U Q D L O C C O Z X
M M G C G O C C N A R D Y E S R E K K O
A A Z Y X R L P Q A N C A N O T S A E I
H H N N R A U Z O U P I A E F X P Y M W
N N E A R W S B I Q N E G N T E N G I W
E E M E Y C E Q H H G I E L E S K N O M
D B P P J L D S M T S P N E O B N E N G
D E L P D R A F T E Y E S W Y A N E G W
O D G R O R M N M L R L A T C E E K H K
C X P F B O Q A D S E L B H O R F A C Q
N U X A U L H F S W B T E N G V Q G A G
G O E L K N A E L E O L O Y T V E O V N
B R T L E E N X R E S T E N T R W N E I
H O O V L P N S H W M X S G B O B B N P
N D A T R O W H O A I G F T X K N T D P
I L Y O O I U R A P L J N K S S A W I I
S O H W C N T G R M J L Z O R E S R S G
Y T Q K P H C I H W N U D L L L W A H X
```

34. THEY WON SPORTS

AWARDS

```
Y F Q E K R U Y L E S
N Y D C E T V R I Z U
D A A P F Z M R O U V
W L O R O S I U B S B
B O E H S P R C Z R W
C Z P V T Z W E O G H
T R A W E T S O T E P
H B E C R B M G M E B
R F C S Y E N E W O P
S E N O J X R X E F V
B W I V I V B R H J X
```

BLACK
BROOME
COOPER
CURRY
FOSTER
HEMERY
JONES
PETERS
PIRIE
STEWART
WADE

35. RATHER RETIRING

```
M C S U O I T U A C M U D T
D F P W Q V B I V B D N I J
E L T R A T S F O G K E R P
S P R Z G N I S S I M C R F
N W O D A I T L Y G N Y U T
O D H T O H M L N P K P G D
P I S U O I C I P S U S Z T
M M M J L Y T N N W T S N U
L I T M G A T W I S A E U N
P T X N C N A N E L D R A T
M R L I E R I D A I F T V K
U M D A D I O V F C C S K D
J B L H C M C F A H S H H E
A K T U J K I I F E Y E S V
H I J E F D I U F O L E U R
W F T N T T L N C E R P Q E
N E C Z I A S Y G N D I C S
H A E N N A U U H I C S S E
R R P P S U K Q R S F H B R
W F S X U R E Z E T I A K Z
C U M E F M F B C D S C K I
X L U B F R E E V H A I R Y
T W C P I X F I F B E N D L
Q K R D C H S U W V R E I S
H J I J I G L A R F Z O T C
Q U C E E Q R E S H C A H V
G L Q Y N D W B R E R A N I
I J N H T S A I R T R U T E
R E D N U D N G R Y N U X L
```

ABDICATING
BASHFUL
CAUTIOUS
CHARY
CIRCUMSPECT
COY
DEFICIENT
DIFFIDENT
DISTRUSTFUL
DRAW BACK
DUCK
FEARFUL
FLINCH
INADEQUATE
INSUFFICIENT
JUMP
LACKING
LEAVING
MISSING
MODEST
RECOIL
RESERVED
SCANTY
SHEEPISH
SHORT
SHY
START
STARTLE
SUSPICIOUS
SWERVE
TIMID
UNDER
VEER
WARY
WATCHFUL
WITHDRAWN

1. BEAUTY AND HEALTH

2. COLOUR ME IN

3. DECORATIONS

4. BUTTER

5. TRIBES

6. THINGS TO AVOID

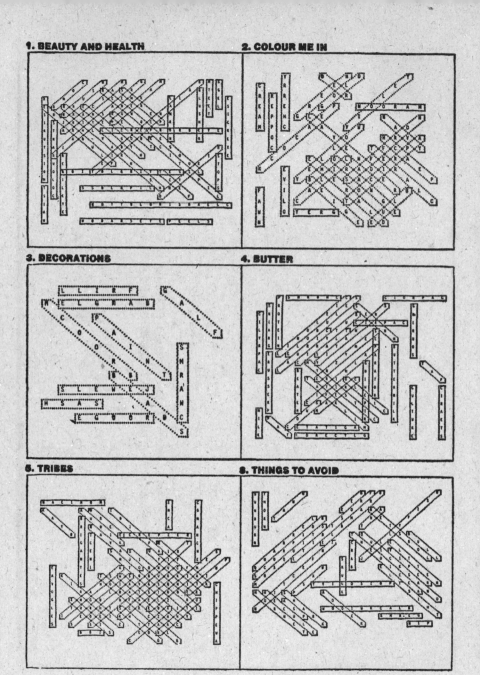

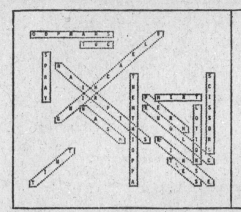

Appointment
Bleaching
Colour
Cut
Hairpins
Lotion
Perm
Rinse
Scissors
Set
Shampoo
Spray
Tint
Trim
Wash

9. FIELD MARSHALS AND GENERALS

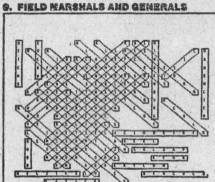

10. GIVE IT A NAME

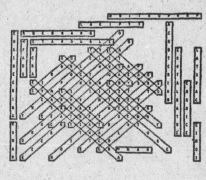

11. GREEN PASTURES

12. TEMPLES

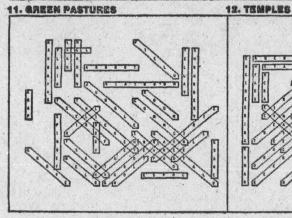

89

13. ANIMAL AND BIRD NOISES

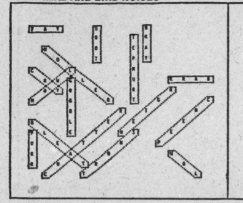

Bark
Bellow
Bleat
Bray
Chatter
Cheep
Cry
Gobble
Hoot
Howl
Low
Neigh
Purr
Snort
Trumpet
Yap

14. FAMOUS BATTLES

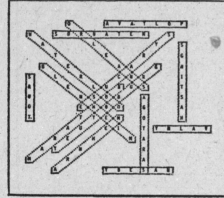

15. FILM DIRECTORS

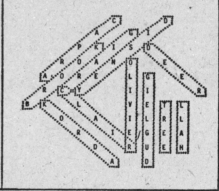

17. ALL AT 'SEA'

18. A FIRE

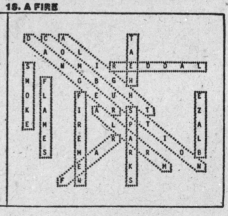

19. LANGUAGE OF POTTERS

20. SELF

22. CHEESE

23. COMPLETE CIRCLE

24. DARK

25. IT TIES UP

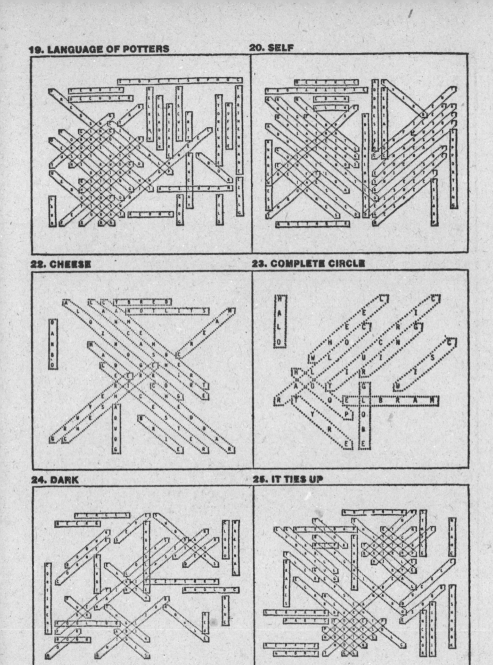

91

26. CONTINENTAL WEEKEND

16. REMOVAL DAY

7. MOSAIC TILES

27. EATING OUT

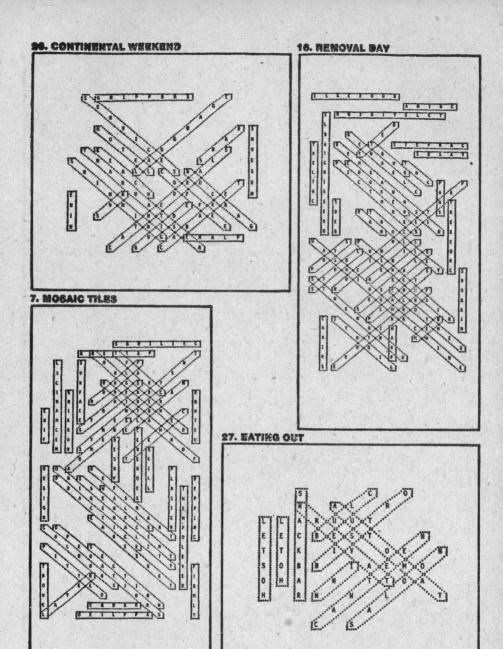

28. WHALES

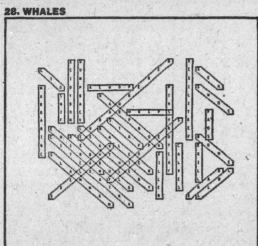

35. RATHER RETIRING

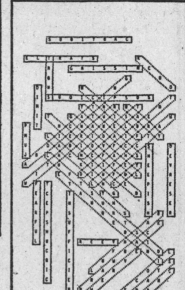

21. IN ADDITION TO

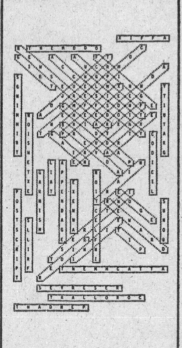

30. DOGS

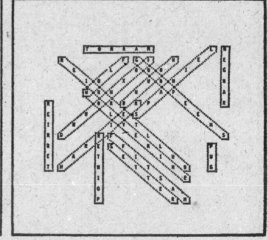

29. TAKE IT AWAY

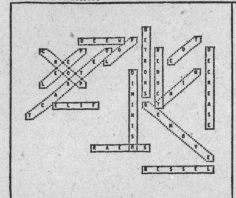

Crop
Cut
Decrease
Deduct
Detract
Diminish
File
Lessen
Lop
Peel
Remove
Shear
Shorten
Thin
Weed

31. CATS

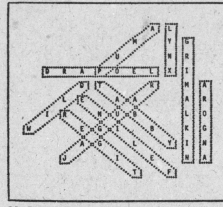

32. GIRLS IN POPULAR SONGS

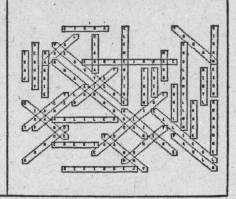

33. SUFFOLK VILLAGES

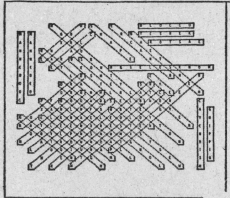

34. THEY WON SPORTS AWARDS

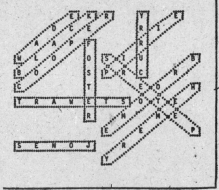

WORD FINDER

Answers to this section on pages

138 – 148

1. WEAR IT

APRON
BEADS
BLOUSE
BODICE
CAPE
CHAIN
CHEMISE
COLLAR
DOUBLET
FUR
GARTER
GLOVES
HAT
HELMET
JACKET

JEWELLERY
JUMPER
KILT
LACE
LINEN
MUFFS
NECKLACE
OVERCOAT
PETTICOAT
RIBBON
RIDING COAT
TUNIC
UNDERSKIRT
VEST
WAISTCOAT

```
R Y E T A O C T S I A W S E C I D O B R
H D F U J G J X D B Y Y R F C C G G A J
P P H N L W Z J K I D O R R F J D L Q H
E P E I T A O C R E V O P E F U L Q C L
C E D A G Z T S F E N O E R L O M I D I
A T H H I D Z R E H R V S I G L N N N W
L T W C N O E Q I F X N U B M U E G Z E
K I A J T Y Q S D K O Q O B T R O W G W
C C R O Z I H U I R S V L O M Y Q B E D
E O V N C E C L P M R R B N R O T S R J
N A H I L G T A C C E Q E K X A E F P S
C T E M B O N X K K T H E D M F L F Y V
S G E E J G Z I J J R S C G N C B U K L
W T A E J U Z Q D I A K E B I U U V R Z
V D K P Y S M P E I G C B V Z C O E L B
S J B A Z C F P N P R P K B O P D S D B
J I H C P U G P E E X D B E C L J T S C
E C A L R V C Z D R C T A H T O G X A K
```

BOOK
CALLIGRAPHY
CIPHER
CLERK
COPPERPLATE
COPY
DRAFT
FOOLSCAP
HANDWRITING
HANGARS
LEGIBLE
LETTER
MANUSCRIPT
PAD
PAPER
PARCHMENT
PEN
PENCIL
POTHOOKS
QUILL
ROUGH COPY
SCRAWL
SCRIBBLE
SCRIBE
SCRIPT
SECRETARY
SHORTHAND
SIGNATURE
SLATE
STENOGRAPHY
STYLUS
TRANSCRIPT
TYPE
TYPIST
VELLUM

```
O R E T T E L A A N Y K P P
E T B C W L Z P Q H N J A E
D F R P N C Y U P C E P D N
N L M E O N I A C L E A S P
D N U N K L R I B R Y E D F
N P R C L G P I S H C G O D
U M U I I H G F P R I O D Z
I N W L E E D A E C L G V V
S X L R L R R T L S O B M E
Z A J E C G A E C S T O N P
C H P A O R R A Y R R Q L S
E E G N Y K P X D S A T B H
N R E N S E S R A G N A H O
O T U A I U T B K N S W L R
S V H T F T L A X A C M C T
B T V C A Y I V L C R F F H
S V E T F N P R T S I I F A
P C M T Y S G O W S P E A N
V A R A A P K I C D T G F D
Z S R I N L I S S H N P R P
P Q C C B U P S T Y G A M V
O G U R H B S R T P R U H A
T K L Y I M L C E E I S O M
H O W O K B E E R P Y R P R
O O A Z E E E N I I P P C L
O B R T A S J P T V P O O S
K O C Y O N U L L E V T C C
S Y S P P O S Q I T F A R D
X S P E M G U A Q V X A H B
```

3. YOUR LUGGAGE

ATTACHE CASE
BAG
BAGGAGE
BANDBOX
BASKET
BRIEFCASE
CARDBOARD BOX
CARRIER BAG
CARTON
CLUTCH BAG
CONTAINER
DUFFLE BAG
FLIGHT BAG
GRIP

HAMPER
HANDBAG
HATBOX
HAVERSACK
HOLDALL
KIT BAG
KNAPSACK
PLASTIC BAG
PORTMANTEAU
RUCKSACK
SADDLEBAG
SATCHEL
SHOULDER BAG
SUITCASE

SURVIVAL BAG
TRUNK
VANITY CASE

```
R M J G R E P M A H S K C A S K C U R B
F F H Q A F E D H H W K K N U R T Q Q S
P L R B A B K V O Z N P G Z R P X X B A
G J I Z A E R U A A X Q A L V V V P M D
L A I G S G L E P B O E B L I G K A Q D
U I B L H D G S I Z B F D A V E H G X L
A A Y H E T A A N R D F N D A S Q A E E
L B E R C C B O G J R G A L L A A T S B
Q S B T K T T A R E A A H O B C E T A A
M A X D N R U E G B O E C H A F S A C G
G T D O A A N L C G B B X P G E A C T U
F C U C B I M I C E D A O O B I C H I D
Z H N F A D T T K P R S B P A R Y E U Z
S E E T J S N F R M A K T I G B T C S C
S L N I A P X A I O C E A R A Z I A O V
H O X L D V U Z B C P T H G N V N S N Q
C R P Z S W G A B E L F F U D S A E N G
G A B T I K C A S R E V A H V Q V F V M
```

4. WHEN?

AFORETIME
AFTER
AFTERNOON
ALWAYS
ANNUALLY
BEFORE
BEFORE TIME
DAILY
DINNERTIME
EARLIER
EVENING

EVERY DAY
HALF-YEARLY
IMMEDIATELY
IN FUTURE
LATER
LATTERLY
MONTHLY
MORNING
NEVER
NEXT DAY
NIGHTLY

NOW
NOW AND AGAIN
NOWADAYS
OFT-TIMES
RIGHT AWAY
SEED TIME
SOMETIMES
SUPPERTIME
TODAY
TOMORROW
WEEKLY

Puzzle submitted by reader Mrs. D. Sewell, Aldershot, Hants

```
S F I D S T O J B N L R G V P Y L I A D
P E M W B N N I A G A D N A W O N N V C
T L M Q E E E O A S Y Y A W A T H G I R
Y L E I Y E F M U F K L U E N E M Y A E
L L D P T B K O I F T N H I J S Y S W I
T R I Y C T C L R T E E J T U W E B X L
H B A F A N F W Y E E E R P N E N S G R
G G T G Y D O O M O V R P N D O W E A A
I C E C V R Y I E E Y E O T O B M M Y E
N L L Y R E T R N M R L I F C O N I N M
I T Y O K R R I E T I M R R A O N T M O
W A M M E A N U I V E T E A W X C E L R
M O G N T G L M T V E T E A E I Q M E N
T O N J P O E W Q U F A D R R Y K O Q I
J I I L K W D R A A F A S N O E F S V N
D Y L R E T T A L Y Y N S V O F T L C G
B Y A D T X E N Y S S G I Z F W E A A W
V Q W J Y L L A U N N A R E V E N B L H
```

5. CASES

F	Z	Q	Y	W	C	Q	X	X	H	H	V	I	H	N
I	A	I	L	M	A	B	K	D	X	T	U	K	P	J
N	I	B	X	D	N	D	R	N	H	B	C	T	H	M
A	L	W	Y	Q	I	D	R	N	W	H	O	A	C	H
C	G	C	E	M	S	O	Y	A	E	U	T	O	O	H
A	C	O	C	J	T	P	H	S	B	B	C	L	T	C
S	R	F	A	J	E	J	T	T	O	B	S	W	M	A
K	A	F	R	F	R	K	X	X	A	T	A	M	C	I
E	T	E	T	D	I	O	R	E	E	E	R	C	B	S
T	E	R	O	I	B	E	X	R	L	E	H	R	S	S
Y	D	C	N	D	V	B	R	H	K	U	A	S	R	O
D	V	Q	N	I	G	V	G	N	B	C	S	R	S	N
Q	O	A	U	K	Q	N	U	O	K	Z	G	P	Y	P
B	B	Q	U	F	M	B	P	O	D	U	X	A	A	N
W	G	E	F	N	E	L	H	W	O	U	M	L	B	C

BAG
BANDBOX
BIN
BOOT
BUNKER
CAISSON
CANISTER
CAPSULE
CARTON
CASKET
CHEST
COFFER
CRATE
HATBOX
HOLSTER
HUTCH
POD
QUIVER
RACK
SCABBARD
SHEATH

6. FOR YOUR PICNIC

CHICKEN
COFFEE
CRISPS
FRUIT
PARK

SALAD
SANDWICH
SUNNY
SWEETS
THERMOS

Y	X	S	E	A	Q	F	N	U	H	T
Z	G	Z	A	E	Q	D	B	I	H	I
I	H	R	S	L	F	Z	P	E	W	N
H	N	C	U	A	S	F	R	C	V	T
C	D	V	I	P	L	M	O	V	S	I
C	H	R	S	W	O	A	E	C	T	U
X	F	I	Y	S	D	C	D	P	E	R
P	R	I	C	N	G	N	V	J	E	F
C	A	A	S	K	N	B	A	C	W	M
F	L	R	E	C	E	U	F	S	S	D
A	T	C	K	O	I	N	S	Y	Y	M

7. OBSTRUCTION

ABATIS
ACROPOLIS
BARBICAN
BARRICADE
BARTISAN
BASTILLE
BLOCKADE
BLOCKAGE
BLOCKHOUSE

BOOM
CASEMATE
CASTLE
CITADEL
CORDON
DEFENCE LINE
DITCH
DUGOUT

DYKE
ENTANGLEMENT
FORT
FORTRESS
FOSSE
GARRISON
KEEP
MOAT

PARAPET
PICKET
RAMPART
SCONCE
SHELTER
STRONGHOLD
TOWER
TRENCH
WALL

```
H E N W E S S O F B P R E U T E T K F K
X N Y A H H U C K J L A G V R K R S A T
C Y K T C A C D A L W O B F A D O H B C
Z G O B F I A T E S U G C S P Y F E A R
E M A Q E Q B D I F T W X K M K E L T M
T O Y K W N A R I D E L D O A E L T I U
A A A A C T T S A B E N E F R D L E S E
M T L C I O U A L B M L C C Q P E R D N
E L N C R Y L O N I X S L E H B H A U A
S P T D N O C B S G K F D I L X C N I S
A P S S M K P F N U L R K S T I F B G I
C D L O H G N O R T S E C E R S N V K T
H P O O U O S U L R A O M R E T A E Y R
C B U T D I Q N L I N U A E C P L B O A
N S Q R R E W O T C S B J P N H Y A N B
E N O R K I A V E I G S S E R T R O F T
R C A D A P V Z T E K C I P O B V A V E
T G O T U O G U D K B T E P A R A P D B
```

8. OMEGA

```
I K W X Q N L E X N S I A O O
G N Y L C N T T P D J K C R K
W B A V A R I C S O E X M I Z
X M Z U A L Z G T R Y E B G F
M G P T G O G Q I R I E S I A
L L S R U U L N A R G F S N L
C H R T E T R M I I O O Z A I
M E S L V C I A N D U I U L N
G E A W T R E N T R N N X T C
T Y H R P U I D C I C U L B E
H N Z C L N B E I H O C O Y P
T W S B G I O E I N C N P F T
R A A U E X E N D C G I N L I
I D D S R A G S N F W Y W Q O
B G U V P B H V T U R B K X N
```

BEGINNING
BIRTH
DAWN
DEBUT
EARLIEST
FIRST
FOUNDING
INAUGURATION
INCEPTION
LAUNCHING
ORIGIN
ORIGINAL
OUTSET
PRECEDING
PRIMARY
SEED
SOURCE
START

9. ALPHA

CLOSE
CLOSING
CONCLUDING
CONCLUSION
END
FINAL
FINALE
FINISH
LAST
TERMINAL

```
N T W K N G R V F H P
D O S T K N I R I D L
Y O I D J I C G N G A
B D T S B D U E A N N
Q M S P U U D G L I I
C E A F F L M B E S F
W L L O I C C Y B O J
H C O Q C N D N H L M
U Y Z S K O I B O C R
B X R Z E C L S X C S
L A N I M R E T H X I
```

ACIDANTHERA
ALSTROEMERIA
AMARYLLIS
ANEMONE
COLCHICUM
CONVALLARIA
CROCUS
CYCLAMEN
DIERAMA
EUCOMIS
FRITILLARIA
GALANTHUS
GLORIOSA
HIPPEASTRUM
HYACINTHUS
IXIA
LACHENALIA
LEUCOJUM
NARCISSUS
ORNITHOGALUM
POLIANTHES
SCHIZOSTYLIS
SCILLA
SPARAXIS
STERNBERGIA
TRITELEIA
TRITONIA
TULIPA
VALLOTA

```
D B L S U H T N I C A Y H N
A I R E M E O R T S L A U G
V K M U J O C U E L N F A J
Z F E N O M E N A M R M H M
S U H T N A L A G I A E O M
U Y N T F E I L T R A T O U
D U U J C N O I Y S T M W L
A A W W O R L L U E O R H A
R K S T I L L D E H L N E G
E T I O A I I S A T L C X O
H R S R S E H C X N A S A H
T A I N R A W I W A V I M T
N A H A A H T L Z I G M M I
A S M I I R A L V L G O O N
D A S L P G C A G O S C S R
I F W C T P R I G P X U W O
C S K A H M E E S N H E Z E
A W A I B I U A B S A I X I
K P T R M D Z C S N U J Q B
P U J A Z T S O I T R S U Q
Q Q S L W R S P S H R E S T
S U T L K I Z U A T C U T R
Z U U A J T A Q C R Y L M S
I U L V F E B G L O A L O R
F E I N C L P K E Y R X I C
Y S P O N E M A L C Y C I S
Y O A C U I Z B X P U O D S
Y S F F V A I R M R Y W S N
R G W G A I L A N E H C A L
```

104

11. DRESSMAKING

```
X M C N B T L H Q G I B G M M
E Y E U J S H G E C N J I G S
K B Q L W S N R S M Q I N A Q
O M U T B I A E E U A I P V S
Y T A T D M L P T A K V X I B
I W Q N T D I T P C D T V O P
J C I U E O K H O L E X B S D
N B Q E P P N M T S I B X E H
P K N P A N S D S L I Q I V Z
L W I E T D X U B N W X U E C
A H T U L O G O K W L P O E O
C N R M C F D G H A T A E L P
K T A H L K F K C U T T X S M
E L D A I W B U K I W A R C T
T E X N Z X V H R F G V X Q Q
```

APPLIQUE
BIAS
BINDING
BOBBIN
BODKIN
BUTTON
DART
GUSSET
HEM
NAP
NEEDLES
PIPING
PLACKET
PLEAT
RUFFLE
SLEEVES
SMOCKING
THIMBLE
THREAD
TUCK
YOKE

12. CATTLE

ANGUS   DAIRY
BISON   HEIFER
BUFFALO   JERSEY
CALF   OXEN
COW   YAK

```
Q J D D G C A V R C N
Y E S R E J F N O X N
F B V N L F I W G V N
H L U A O U D A W U R
S Y A F E S K H R E S
F L R C F L I E A E J
G D W I T A F B X Y H
W I Z I A I L L Y I J
B Y U W E D N O B W V
W D A H D Z L M I W X
F I R K P Y N E X O Z
```

105

13. KINK

BEND
COMPLICATION
CRAMP
CRIMP
CRINKLE
CURL
CURLICUE
DEFECT
ECCENTRICITY
FETISH

FLAW
FOIBLE
FRIZZ
HINDRANCE
KNOT
LOOP
NOTION
OBSTRUCTION
PANG
PECULIARITY

PINCH
QUIRK
RINGLET
STITCH
TANGLE
TWINGE
TWIRL
TWIST
WHIM
WRINKLE

```
K S Z N I E U N C Y Q E L B I O F Z N E
H K W O E C O S D R X U K F H L D Z L R
I A F R H C B P W M I N I T N O R G K Z
N K E O I E A Y O D B M F R E L N U V T
D O T K R N Q X T L C A P G K A H M C A
R F I S G T K C U I W R N A T U C H H Y
A W S G T R L L O D R I I T Y E N G C V
N T H C M I O X E M W A Y N U T I F F P
C D R M I C T B C T P M I C K R P L A N
E R L Q H I J C S R O L I L X L A J O A
P M I S W T C R H T A L I P U W E T T G
T T R N A Y W L P P R M E C J C I N T A
C E O P G U F O R U V U P E A O E U W H
E C I N I L F O C Z I Y C Z N T P P I A
F T M V K R E P D N N C V T D K I I S B
E H A C I V K T I R Z N G V I N L O T G
D V P Z R C J C G W I D J D I O E V N J
Y F Z L K U Q O J L R I W T P I N B G G
```

Puzzle submitted by reader Miss W. Knott, Bude, Cornwall

14. GETTING THE
LOW-DOWN

ACQUAINTANCE
ANNOUNCEMENT
CORRESPOND
ENLIGHTENMENT
ENUNCIATION
EYE-OPENER
GOSSIP

HINT
INFORMANT
INFORMATION
INSINUATION
INTIMATION
MENTION
MESSENGER
NEWSMONGER

NOD
NOTICE
NOTIFICATION
OUTPOURING
REPORTER
SCANDAL
SPY

STATEMENT
STOOL-PIGEON
SUGGESTION
TELLER
TIPSTER
WHISPER
WINK
WRINKLE

```
X R D J R H T R O E R R R L A D N A C S
M T E T R E E R F K S E T E D O N N J N
K E N Q T C P Z B U O N Y T P L N S X O
U F U E I N G S G E S E J N T O T F Z I
N E E T M O A G I T Z P P I J N R U X T
O U O N S E E M A H A O N H E G B T O A
T N I S U S C T R L W E W M N N A X E M
I G I N T N E N V O E Y N N D E C G Y R
F P N I S M C F U N F E B O T W Q D P O
I J O I E I M I O O T N Y E E S U N S F
C N W N R E N I A H N K I G L M A O E M
A A T R N U T U G T T N Y I L O I P S I
T T D T I A O I A I I X A P E N N S E E
I C I I M N L P P T V O U L R G T E K W
O O U I V N K S T R I S N O N E A R M H
N E T W E C T L U U J O G O C R N R I M
H N R H K E E S E B O F N T L N C O W Q
I Y D W R E G N E S S E M S C Y E C J M
```

107

1. Grows in the garden or the sea
2. Hold it under your chin
3. Wordsworth saw a host of them
4. Does she have a bicycle?
5. Yellow weed
6. Remember me
7. Truthfulness
8. Pure, white plant
9. Border plant
10. It has thorns
11. White winter flower
12. Lay in a supply
13. Don't look at your watch for this
14. From Amsterdam?

1. A - - - - - - -
2. B - - - - - - - -
3. D - - - - - - - - -
4. D - - - -
5. D - - - - - - - -
6. F - - - - - -M- -N- -
7. H - - - -
8. L - - -
9. P - - - -
10. R - - -
11. S - - - - - - -
12. S - - - -
13. T - - - -
14. T - - - -

15. SOME FLOWERS

A DOUBLE PUZZLE
Solve the clues to find the list of words hidden in the puzzle. The answers are in alphabetical order.

```
D K I H F H W Y E G F W Q E Z
A Z Y Q Q K U H B N T Y S S L
F G N D C J O T V P O O Z C U
F R K O W N F S U G R M T V G
O V T W E Y O C P R Z O E A O
D S Z S Y J R I M I F J V N S
I G T D E E G U L R L W X N A
L V M R T S E P G E M U O U F
S L H T O G T U E D D W T U C
A A U M E H M Y P T D N Y G I
Y B Y L M L E N S R D L A V O
O Q S I Y F N O Q N K Z W D Z
C M I L H U O P A Q A L H I E
G I A V T R T I B Q M P L W J
V Y D Z Z L M U P U B I B B F
```

16. KEEP YOUR COOL!

```
U I Y Z E D L O C T E B T J
D I N D I G I R F T U N E V
A E J D F V L Q A K A A G C
V L L V I H R G O L V I A P
Z G H F O F I Y A X R I U L
J W Y A F T F H E E G M S A
L V B C I U C E P T S B S C
J J M M I N R M R K A O A I
I F H J O P E N R E K B E D
X R B N K T C O U A N T E D
E T A R E B I L E D A T E D
N Z T D W R U K X N D T Q A
P E Z E E R F K O X A D P U
A R K P L N K I I E C A Y Z
I K U P K C S N H Y T A D Z
R S I I U S J N G H L Z I M
E D N C A N U S E L U U S R
C H M P E R F T A Q U G T P
Z F S P A J I R G P N N A G
A I M O A C G H I C C S N V
D A M C U Q Z Q K E O H T N
D D E S O P M O C C N Y K H
U E V N H G Q R L A C D O M
K T S N W S U L B L E N L W
O A E J K W I Q T M R O P Y
M C D E F H E I W D N V V V
V H A L C C T M X O E B W J
B E T V C Y C A Z W D G Z G
U D E H T D S V B N R R I M
```

ALLAY
APATHETIC
ASSUAGE
CALM DOWN
CHILL
COLD
COMPOSED
DAMPEN
DEBATE
DELIBERATE
DETACHED
DISPASSIONATE
DISTANT
FREEZE
FRIGID
ICE
ICY
INDIFFERENT
MITIGATE
NONCHALANT
PLACID
QUIET
SEDATE
SUPERIOR
TEMPER
UNCONCERNED
UNFRIENDLY
UNHEATED
UNRUFFLED

17. FOREIGN CLOTHES

```
O Q X C S C X P O K N S D M G
Q Z H A N U E K N I F Z A M W
M X B D L I H A O P D C A K U
Z O T F G B O M M O V G O E I
T C S N T H K H I T Y Y R P U
I E O A C Q R S K A N Q E I U
B I J N R I U A R S G O L C V
R A O N J I Z Y C H G G O Z M
L P D S K N D K S D N S B D A
N O R E R B M O S H O E V D N
U A Z R N A B R U T R E M U T
B U T Z Q K U Z A J A T K T I
R F I F U S O G T K S T J S L
O E X P A M S T J Z I U A N L
R Z W B R C V Y P K P P U B A
```

BOLERO
CAFTAN
CLOGS
FEZ
KEPI
KIMONO
MAGYAR
MANTILLA
PEIGNOIR
PONCHO
PUTTEES
SABOT
SARI
SARONG
SOMBRERO
TOPI
TURBAN
YASHMAK

18. BROWNISH HUES

CHESTNUT
COPPER
HAZEL
MAHOGANY
ROAN
RUSSET
SEPIA
TAN
TAWNY
WALNUT

```
Q H M Z S T U N L A W
Y J T E A O D D J A I
Z N P U R Y Q B Y P W
Y I A F N U N Y X O N
A P J G M T S W M Q T
K Q M J O J S S A R G
B M S O P H O E E T L
N M A T N Z A P H T E
K A A W L F P M X C Z
P N O R Y O Q Y U V A
F E D R C I W N L A H
```

```
G G T T E P R A C E L G N I H S C C U B
S G N I T T A M E T H T R A E S P L P J
E G N I T T O C S N I A W A L A F K W C
S N Q M R P D I V N G T H A V R L G A W
T X O S O O O M K R N N T P A G A N L K
H S A T S R O L W G C E I T R S G B L S
A W E Q S R T L Y F I F U D N P S H V P
T P N L T E X A F T C W R R I W T T E L
C T A X I L L V R O H E K S S S O A N A
H K B V W T D I B D P E W L H Q N O E S
K H F A E U F B T A N A N C R G E C E T
V A D T S M L O P P L J E E X N S R R E
E E O S B E E L O L Q B X J X I V E I R
J T O X S B L N B R R Z R S N T E D V B
X Y W T M A K O T I P X Q N H E N N A O
U D O Q W L A I C H R E P A P E O U H A
C N E G S R M K G N I V A P I H T M H R
E J A Y D P S E L I T N A P M S S X Q D
```

BRICKS
CARPET
COBBLESTONE
EARTH
FLAGSTONE
FLOORING
GRASS
MATTING
MORTAR
PANTILE
PAPER
PAVEMENT
PAVING
PLASTERBOARD
POLYTHENE

ROOF TILES
SHEETING
SHINGLE
SIDING
SLATE
STONE
THATCH
TILESTONE
UNDERCOAT
VARNISH
VENEER
WAINSCOTTING
WALL
WALLBOARD
WALLPAPER
WOOD

19. COVERING UP

20. FAMOUS BATTLES

```
H N O G X Y S X G E C V D C G
T O X D L O I M E H N R A N M
L H H E U S J S J S J A A U S
E T M A T X A T G H N N P D N
S A A K G R P R Y N E O O R A
U R T B Q D A M A D I U M E E
C A E L R B L F D T Z T T V L
A M R E M A G O A S O S S Y R
R S L N V O L Z R L G G G A O
Y D O O H G F Q U N R G N A V H
S M O E I O O Y A A U A O B K
V M M I D T P L Z Y S I R R V
W E V M N R K X S P A E A N A
E G A L E Q V H E R O J B Y W
J U W S R O Z I N R Q W Y Y W
```

ARNHEM
BLENHEIM
FLODDEN
HASTINGS
LARGS
MARATHON
MONS
NASEBY
ORLEANS
SARATOGA
SOMME
SYRACUSE
TOURS
TRAFALGAR
VALMY
VERDUN
WATERLOO
YPRES

21. PLAYING POLO

CHUKKA
GOAL
HAT
HORSE
MATCH
SADDLE
SCORE
SPORT
STICK
WIN

```
H L G A K P J L Y Y K
A H C T A M V W Z P U
K S T I E X G K Y N D
K J H K G X L P I H W
U N K C I T S D A X A
H I U T M Q Q T F P E
C O A D R S T M F L R
R O R L J O R Z D F O
A J A S G N P D W J C
F O J J E Z A S I E S
G U D X J S I J N Q F
```

22. ROLL OUT THE BARREL

ASH
BANDS
BIND
CAULKING
CHIPPING
CIDER
CRAFT
DEGREE
DESIGN
DISMANTLE
DRIVEN

FIRE
FLOGGER
GALLONS
HAMMERS
HEAT
HOOPS
JOINT
KNIVES
OAK
PLANKS
RARE

RULER
SCRAPES
SHAPING
SKILL
STAVES
STEAM
TEASE
TIMBER
VERTICAL
VOLUME
WOOD

```
X S E V I N K D T A E H L W X A J S C C
X E G J S A C B N F A L U I I G F N N C
S V H O X B I I G I H K L B K L G O I F
R Z W I D N T A U M B W A I O A X L P T
E X V N E L T N A M S I D G K Q O L P L
N L R T L M V H I N M P G N N S L A I A
M O R D H C U E Y D P E M T P Q U G N G
A N U R E O R L R Y R A G P D C X N G M
H F L I D S O A O T G N I K L U A C A T
I K E R S D I P F V I E Q V M T I E S S
K W R K E P R G S T S C E V D Y T L R G
B O D Q P M C I N H E E A R R S R Y S X
A O E W A R N A V R P R V L G V R H F C
N D D J R U S A E E W L I A B E A C E I
D I E I C H J B Z F N Z A F T P D C S D
S B P R S R M D N Q D X B N I S Y K A E
P X C I A I J E M C K E V N K C U Z E R
M K F V T R S L H A T Z G I P S H Y T J
```

23. ALL THAT GLITTERS

```
Z J T H H X G R N G H R C X R
S R K E D Q U R H R B S R E E
H D I J S B D I C E L D E T J
W T B N I R J R X N J N S Y Q
G W R E G A Z P S O L O A B U
E O S W C S I D Y T V M P Q A
C S L C C S L N S S A A P Q R
X S I D Q A S I G N P I H A T
D C C O R H L Y B O C D I F Z
M B H E U V J C E O T P R Y U
Y G M A E Q G T K M T I E X A
D E W R I U R R T R O Z W D P
P P K T S N V U P D P B F C L
S L E W E J Y F T M A D K B I
S N I O C J J F M W Z L G D Q
```

BRASS
CHAIN
COINS
DIAMONDS
EMERALDS
GOLD
INGOT
JEWELS
MOONSTONE
QUARTZ
RING
RUBIES
SAPPHIRE
SILVER
TOPAZ
TURQUOISE

24. SHOWING-OFF

DASH
DISPLAY
DRESS
FUSS
GRAND
JAUNTY
PARADE
SHOW
STRUT
SWAGGER
SWANK

```
K K F W H U J H J W N
K G H S M A E L V R W
N S A T U R T S I O D
A D S N D Z K X H T I
W O T E S D D S V E S
S Y S W R W N H D K P
X T A L S D A A V J L
H D I B S S R G R S A
I E X S F A U U G G Y
R J F J P E K F D E S
I O X V J D V M W F R
```

25. DESIGNER

ARCHITECT	ENTHUSIASM	INTEND	PRESENT
ARTISTE	EXHIBITION	INTEREST	PURPOSE
BLUEPRINT	EXPERIENCE	INVENTION	SCALE
BUILDING	EXPERIMENT	MODERN	SCHEME
CONSTRUCTION	EXPLANATION	PAST	SERVICE
CONTRIVE	FEATURES	PEAN	SHAPE
CRAFTSMAN	GROUNDWORK	PICTURE	SKETCH
DRAUGHTSMAN	IDEALIST	PLOT	VIEW
DRAW	IMAGE	PRACTICAL	WORK

Puzzle submitted by reader Mrs. L. Robinson, Chesterfield, Derbys.

```
S Z N R E D O M H N O I T N E V N I I Z
U K S E V Y W T K T S E R E T N I M E K
U D E N X G O T S I L A E D I A A F X K
E R Y T T N E M I R E P X E P G P A P E
Y A F H C I O B S E R U T A E F S T E P
G U E U A H N O I T C U R T S N O C R A
I G L S K F V G C N Q B E F E L E L I H
N H A I R E N U R A O P E P P D Y Z E S
T T C A P X G A S O R I I S Y Q Q V N N
E S S S R H G V M E U C T I O T V C C N
N M T M A I E N S S T N H A N P O M E Y
D A L W C B S E I U T E D I N N R P U Y
B N O R T I N C R D T F R W T A W U G T
Q R I C I T T E H S L P A R O E L G P C
K A C D C I J S I E E I I R I R C P R J
E U G O A O G T A U M V U V C B K T X D
N G X W L N R K L P E E B B N A E P H E
W J P U G A B B W A R D X E C I V R E S
```

115

26. THE ROUND TABLE

```
Y F G J G W B N I L R E M U A P P N R H
D Y W S R E G R A H C K U A D A Q R O H
Y A V R L A V I H C O J Q K T G Q N S K
T R W E R E V E N I U G P D U Q F M I L
E E D A K S P E H A N O C T Z W N K V E
W K L P L V Q V V R U B N O T S A L G G
I C A T V A D F Z O R I T H F P E A D A
N Q Z L N V G N Y R A U L R O T O Q R T
C L U N E U K O E R U Z B C I R H V O N
H A V R T H A N E G C O J I E S N U W I
E N C I U J T G I S E S V T L O T H S T
S C V T O H D F G G O L S A L A F R C O
T E G O X P T S O M H E Q A F D C O A C
E L Y L K Z Z R E V H T V Z O J Y X V W
R O W E A I E R A C D A S M M W I T E U
G T P N Y J S E L T S A C Y R U B D A C
C W J A W E S O S K Q W L W V C N O D D
E V V C T L C G G O B D V D D L E I H S
```

ARTHUR	GUINEVERE
AVALON	KAY
CADBURY CASTLE	KNIGHTS
CAMELOT	LADY OF THE LAKE
CAVE	LANCELOT
CHARGER	LEGEND
CHIVALRY	MERLIN
COLCHESTER	SHIELD
EXCALIBUR	SOMERSET
FAVOUR	SWORD
GALAHAD	TINTAGEL
GAUNTLET	TRISTRAM
GERAINT	VISOR
GLASTONBURY	WINCHESTER

27. THEY CAN MAKE YOU FAT

BAKEWELL TARTS
BATH BUNS
BISCUITS
BRANDY SNAPS
CHELSEA BUNS
CHOCOLATE
COFFEE CAKE
CREAM
CREAM HORNS
DOUGHNUTS
FAIRY CAKES
FLAPJACKS
FRUITCAKE
GATEAUX
GINGERBREAD
JAM TARTS
LARDY CAKES
MACAROONS
MADEIRA
MARSHMALLOWS
MINCEPIES
PARKIN
ROCK BUNS
SHORTBREAD
SHORTCAKE
SIMNEL CAKE
SPONGE

```
T P S B K E K A C T I U R F
A E D P S E K A C Y D R A L
E I F A A E K A C T R O H S
Q G K A E N S L Z B H D A X
F O X V I R S N T W B U W T
R I B L V R B Y U P C E Q Q
E V V E T B Y R D B B D J M
M K H P M A I C E N K U A A
Z C A X U K S C A G A C Z C
S Q P C W E A N J K N R O A
T M S X L W M T U Y E I B R
R B W U B E H A P B R S G O
A M O A O L N M D E H U E O
T F L E D L J M F E T T U N
M S L T U T H N I C I M A S
A K A A Q A M S N S U R C B
J E M G B R I T N I K R A P
S G H L S T I U C S I B S C
K N S H S S I K C R I K H S
S D R I W E Q F Q H C E S Z
T E A O H R I W R A L P C T
U T M H H L I P J S O S S B
N A U D K M O P E N W R C Z
H L C I E I A A G C V J R H
G O N J O L B E S O N N E V
U C G F F U D B R V E I A P
O O X W N E B Z V C S F M L
D H I S D A E R B T R O H S
T C B Z E K A C E E F F O C
```

117

1. Lodgings
2. Piece of soap
3. Have a wash here
4. Short name for William
5. Refreshment bar
6. Put your vehicle here
7. Female servant
8. He cooks in a restaurant
9. Evening meal
10. Large hall
11. Not just bed and breakfast
12. Person invited to a party
13. Midday meal
14. One who directs
15. Act of greeting
16. He serves at table

1. A --------------
2. B --
3. B --------
4. B ---
5. B ---
6. C -- P ---
7. C -------
8. C ---
9. D -----
10. F -----
11. F --- B ----
12. G -----
13. L -----
14. M ------
15. R -------
16. W -----

28. AT THE HOTEL

A DOUBLE PUZZLE
Solve the clues to find the list of words hidden in the puzzle. The answers are in alphabetical order.

N	E	K	U	R	E	G	A	N	A	M	C	L	N	O
U	O	D	B	L	T	T	X	D	I	H	H	M	C	H
B	V	I	I	R	C	S	L	T	R	A	E	O	M	C
H	G	O	T	A	S	X	E	N	K	I	F	O	J	M
V	F	U	P	A	M	D	S	U	U	T	Z	R	F	R
L	Z	X	X	T	D	R	R	N	G	E	Y	H	J	A
L	K	H	D	L	Q	O	E	A	C	R	J	T	K	B
I	T	D	U	I	B	J	M	B	O	Y	G	A	Z	B
B	C	N	A	H	N	I	G	M	M	B	V	B	U	J
H	C	A	I	M	C	N	F	O	O	A	L	K	G	C
H	D	Q	R	K	T	I	E	U	Q	C	H	L	J	Q
N	O	I	T	P	E	C	E	R	Y	Z	C	C	U	Z
X	E	Q	I	L	A	M	M	V	X	Q	B	A	G	F
O	V	D	W	K	F	R	T	E	F	F	U	B	L	C
P	U	Y	A	F	W	X	K	R	Q	R	E	Y	O	F

```
B R V Z O S H K B R M R W A I D T S I S
E E U K B O W O P E L D W D O Q K I V U
Q W V S O U L V N O S A Y N O A N B P B
U A A Z N V H Y F O R T A C A W U J A S
E R Z A U E N N R D R T O W A W R R S C
S D H L S N R A Q O I A X W K G E Y G R
T G U V J I S Q L O T R R C A M E A N I
E T U B I R T W N R K R R I E L N L I P
K N O I T C A F E N E B E M U T P U R T
C G N I R E F F O P V W B F Z M R H I I
P N J Y Y X P O G T R R C Y F Z O G A O
N O N T H S U D T R A E V H D O V R E N
E O B N V T E N K N A G S O A I I E X Y
K B F U Q R A T C Q D T Q E M R S C M O
O A M O P R H E R B D M U T N D I B O V
T C L B G E D K E U G J Q I V T O T U S
Z F O M Q T N E M W O D H E T L N H Y S
J Z D X S B Y O R L A C Q L Y Y Q X P B
```

ALMS
AWARD
BENEFACTION
BEQUEST
BESTOWAL
BONUS
BOON
BOUNTY
CHARITY
COURTESY
DONATION
DOWRY
ENDOWMENT
FAIRING
GRANT

GRATUITY
HONORARIUM
LEGACY
OFFERING
OFFERTORY
PRESENT
PROVISION
REMEMBRANCE
REWARD
SOUVENIR
SUBSCRIPTION
SUBSIDY
TIP
TOKEN
TRIBUTE

29. A GIFT

```
U M G Z A Q B U F N K
E A T O S L H C Z R Q
W S L R A L L O C E D
K J X N A R O V E M K
Y C K R G I I B K T W
P E I W A Q N R O A H
T M I L T L A I L N U
M N V C L B E K N Z E
H E K S S A A Z G Y
A M Z Q X Q T W D H A
G B F Z H S I D Z J M
```

BARK
BLANKET
BONE
COLLAR
DISH
LEAD
LICK
TRAINING
WAG
WALK

31. USING WORDS

```
Z  O  G  C  K  H  J  V  L  L  E  T  G  G  E
M  C  S  X  O  U  C  C  O  C  S  N  D  X  W
J  H  H  H  D  N  M  E  A  C  O  D  P  U  R
F  P  D  X  O  D  V  R  E  Q  A  R  G  D  C
S  H  Q  M  O  U  V  E  C  P  E  L  G  A  K
R  R  D  G  R  E  T  I  R  S  S  B  L  L  I
V  A  I  C  A  B  C  R  S  S  B  L  A  Y  D
L  S  S  M  L  W  A  N  G  R  E  T  V  Z  E
A  E  C  M  V  H  W  U  E  R  M  O  B  T  Y
R  C  U  J  L  H  T  E  E  T  V  A  A  A  Y
E  S  S  Y  I  T  X  P  M  E  N  R  S  T  V
T  P  S  S  E  Q  E  E  F  T  R  E  H  N  O
I  D  P  R  C  A  O  P  A  A  N  W  S  C  L
L  E  E  X  T  P  E  D  N  T  R  R  A  Q  G
R  K  O  Q  E  C  I  O  V  S  K  A  E  P  S.
```

CALL
CONVERSE
DISCUSS
EXPRESS
LITERAL
NARRATE
ORAL
PHRASE
REPEAT
SAY
SENTENCE
SHOUT
SPEAK
SPEECH
STATE
TALK
TELL
UTTER
VOCAL
VOICE
WHISPER

32. BLESSING

BENISON
BOON
BOUNTY
FAVOUR
GIFT
GODSEND
GRACE
INVOCATION
KINDNESS
SANCTION
SERVICE

```
B  B  M  Y  T  N  U  O  B  I  L
S  S  E  N  D  N  I  K  N  H  B
E  J  C  I  S  D  M  V  T  S  E
Z  C  B  U  U  Q  O  V  A  R  N
T  Z  I  P  G  C  G  N  K  D  I
F  H  Q  V  A  R  C  R  M  D  S
I  B  Y  T  R  T  U  E  A  G  O
G  O  I  T  I  E  S  O  N  C  N
V  O  M  O  I  D  S  S  V  R  E
N  N  N  H  O  X  S  L  J  A  G
O  P  L  G  C  G  V  V  E  R  F
```

33. VISITING THE DENTIST

APPOINTMENT
BRUSH
CAVITY
CHAIR
CROWNING
DENTAL
DENTURES
DRILL

ENAMEL
EQUIPMENT
EXTRACTION
FILLING
FLOSS
GOLD
GUMS
HEADREST

INCISOR
INJECTION
MOLAR
MOUTH
NERVE
NURSE
OVERALL
PLAQUE

PLATE
RECEPTIONIST
RINSE
SALIVA
TEETH
TOOTHPASTE
WATER
WISDOM
X-RAY

```
K S T D W F R U J N M M M E S N I R F Z
Q M O D S I W Y X U N B Y N F E V R E N
S E R U T N E D W C L N O I T C E J N I
X U L H N X T N E M P I U Q E V G G T L
S O D E T H K O M L Y J U G P N D V N R
C S M T M E X W O P P C O L I E Y U E K
W H E V U A E Y U L L A L N W A R M T
O E B C E F N T T A D T L T Y R E T T
S A S M B X E E H Q E I A T R I X C N H
I D G L B A T T L U F L I U O O G E I H
X R U N C A C R S E Z V C T S V G P Q S
F E L C U V G R A A A C C S I E U T P U
E S D X G I A S O C P M F M C R L I P R
R T N T E L S S C W T H D K N A W O A B
E U W U O A M O M H N I T R I L O N W T
T R O M R S L L R U A I O O I L J I Z X
A N R D X S G F G E G I N N O L W S S M
W W W W K G E V V S I Q R G N T L T Y Z
```

122

34. DULL

BORING
DENSE
DIFFUSE
FADED
FEEBLE
IMPERCEPTIVE
INDISTINCT
INSENSITIVE
INSIPID
MILD
MODERATE
MUFFLED
MUTED

OBTUSE
ORDINARY
SLOW
SLOW-WITTED
SOFTENED
SPIRITLESS
STOLID
SUBDUED
TEDIOUS
THICK-HEADED
UNIMPASSIONED
VACUOUS
VAPID

```
V P S M F D A N S D V D I L O T S G P X
I V F Y C E D Q U I S S F E S H E D U M
Z N F B R U E U O F N L J T D E D A F P
S I S C M D T V U F K A O F E K A X V G
M L N E C B G O C U L M U V C D L O E R
H L O A N U Z E A S F L E V N X I I O O
N K C W G S V O V E U U N G G I M O R U
S X D E N O I S S A P M I N U P T D U T
D P R I D I A T F I D Q I W E Q I T H S
V E I T O V N M I L K R C R L H Z I E D
E D L R T E K D I V O W C J A D C C I D
J E V F I P T M I B E E K R W K C P F N
E N D E F T T A A S P B V I H V I S F G
L E X S P U L N R T T G W E O S R Y X J
B T G U X M M E I E V I A V N D E T U M
E F A T C D N V S X D D N I P B L C R F
E O V B E Z E K E S E O Y C N D I P A V
F S D O Q Q M U J D D I N V T W D H K Y
```

123

```
V G Z Z Q A R W A J Y
K E P A H T R A M A Z
V A V L D Y W H D Y A
B S B B E Y U R E E X
L I C P B H E N G L Z
T P R O E T O R N L E
W A Y T S M A V I E O
R S X E H I K B Y H N
M Q Y M N D M P L C G
V U U G A E A R F I A
J S Z U O N P Y N M G
```

35. SONGS OF THE BEATLES

BIRTHDAY
BOYS
FLYING
HELP
MARTHA
MICHELLE
MONEY
RAIN
TAXMAN
YESTERDAY

36. PASSING ON THE NEWS

```
N K J P T I E S G A L F T G W
M L T U K T W S H F X C B O K
A K I E J D E A R G O O E B K
R L Y K L J S L I O W D A Z E
G A D O L E E G E L M E C E H
E X B R N S P I S P A W O J P
L O S R A N J A S B H N N S G
E N J J X C A U T X O O G U F
T T G E E N T T V H E T N I C
I F R D L E Q S M S Y P T E S
Z L A M E S N I O P S X O H H
Q A D C T E R U N P T K Z N M
O R I L R R G O C E A C F B U
U E O I O D I U G A R M E P R
F Y S R E E T I L L E T A S D
```

BEACON
CODE
DRUM
FLAGS
FLARE
KLAXON
MIRROR
MORSE
POSTCARD
RADIO
SATELLITE
SIGNAL
SIREN
TANNOY
TELEGRAM
TELEPATHY
TELEPHONE
TELEX

37. GO ON FOR EVER

```
V U G J A P T W L M B
G U W S U G R L U L K
O H Z F W A S A A O I
F Y L W S R A B T A E
F P L P J E N Z S E Y
M A O T I B P C A R E
F U A I X B J P G S N
T H E R Z A Q A D P X
C H O C O J A I W L F
F V O X U U H R X Z H
D B T E E L B B A B V
```

BABBLE   JABBER
BLAB   JAW
CHAT   PRATE
GAS   SPOUT
GUSH

```
Z  D  A  N  Y  H  D  I  B  D  Y  M  E  A  Z  H  K  N  V  U
S  E  D  Z  B  R  T  I  H  D  I  I  T  J  S  E  A  I  S  N
D  F  B  S  L  D  T  G  P  I  N  S  W  T  P  R  V  D  O  W
N  F  U  E  A  E  R  N  N  D  O  I  T  I  K  M  O  E  L  E
A  U  F  G  C  T  E  O  E  E  E  A  H  A  M  I  I  S  I  L
H  B  E  R  K  C  T  R  V  V  L  D  L  E  N  T  D  O  T  C
E  E  L  E  L  E  I  E  W  E  O  S  U  O  B  C  U  L  A  O
N  R  B  G  I  J  R  D  X  P  B  C  M  L  O  T  E  A  R  M
O  Y  A  A  S  E  E  I  R  A  O  F  D  R  C  F  F  T  Y  E
L  T  I  T  T  R  L  I  N  U  R  E  P  Q  A  X  R  E  A  B
I  D  C  E  O  E  V  I  T  I  N  J  Y  Q  K  M  E  V  L  B
S  E  O  A  D  A  S  L  E  N  D  E  N  O  D  N  A  B  A  U
O  L  S  T  T  H  A  N  U  V  N  J  D  A  E  D  T  U  C  J
L  L  N  E  E  W  D  H  R  E  D  L  U  O  H  S  D  L  O  C
A  E  U  D  E  L  S  Q  H  R  D  T  D  E  R  R  A  B  J  W
T  P  Q  D  E  N  O  L  A  T  I  O  G  N  X  M  O  E  F  J
E  X  H  S  D  D  B  R  O  T  A  E  R  T  E  R  D  K  A  B
D  E  S  T  L  G  T  T  O  C  Y  O  B  B  T  E  B  C  U  F
```

38. OUTCAST

ABANDONED
ALOOF
ARMS' LENGTH
AVOID
BANISHED
BARRED
BLACKLIST
BOYCOTT
COLD SHOULDER

COVENTRY
CUT DEAD
DESOLATE
DISTANCE
EXCLUDED
EXILED
EXPELLED
FRIENDLESS

GO IT ALONE
HERMIT
IGNORED
ISOLATED
LEFT BEHIND
LONE HAND
OUTLAWED
PRIVATE

REBUFFED
REJECTED
RETIRE
RETREAT
SEGREGATE
SHUNNED
SOLITARY
UNSOCIABLE
UNWELCOME

39. SOME BRITISH ISLANDS

ANGLESEY
ARRAN
BARRA
BENBECULA
BUTE
CANNA
CARDIGAN
COLL
FOULA

GIGHA
HOLYHEAD
HOY
IONA
ISLAY
JURA
KERRERA
LEWIS
LISMORE

LUING
LUNDY
MAN
MULL
NORTHEY
ORONSAY
PUFFIN
RAASAY
RATHLIN

SANDA
SCARBA
SKOKOLM
SKOMER
SKYE
SOAY
TIREE
WHALE
WIGHT

V N N A E N U T D V W I L A Y A S A A R
S A J J H A A I C I X L A L L H S A A Y
C M D X E G W O G Z E N Y U S D R T S I
A T Q S A I I H K R G L O C R R H O K N
R F T R A D T G Q L H F H E A L B J Y I
B Q R S B R S Z E J T H P B J H L E E L
A A V T J A E S E S J R P N A D N A S B
N Z Z Q U C E R K E S R Q E Y G E X Y U
W R Q C R Y H Y R K G V E B B L L U M T
H T K Y A L S I O E T D Y M E L A Y S E
Y E H T R O N K P R K K A A O K H D U L
M Q X H C U O U G O Y P P E O K W N C U
I J V K T L F E V M S A E Y H S S U C I
Z O R I M F Z E I S I V S U V Y K L B N
B C R T I O C A X I I A N N A C L Q A G
D E N N S I W E L L H O I D O V M O K H
E U L L O C O V U X T R N F W R R P H G
L T L E N R K A Q R R H Q A B P O I C N

127

1. Can hold lemonade or beer
2. Aquarium
3. Showcase
4. For plants
5. Conserve container
6. Shows one's image
7. Single eyeglass
8. Sounds like suffering
9. Public shows
10. Found in the laboratory
11. Measures heat
12. Acrobat
13. Look through these
14. Sip liquid from this

1. B - - - - -
2. F - - - T - - -
3. G - - - - C - - -
4. G - - - - - - - - -
5. J - - J - -
6. M - - - - -
7. M - - - - - -
8. P - - -
9. S - - - - - - - -
10. T - - - T - - -
11. T - - - - - - - - - -
12. T - - - - - -
13. W - - - - - -
14. W - - - G - - - -

A DOUBLE PUZZLE
Solve the clues to find the list of words hidden in the puzzle. The answers are in alphabetical order.

```
Y D R G K W X H H T A C Y T I
R T X W R E S A C S S A L G C
U O W I T E J F S W O D N I W
K W W N S B E A R O R R I M O
U A Y E T N S N M B Y K R N L
T Y S G P H T E H J J G T G R
N Q P L X K E C L O A Y P T E
I U E A H E E R E C U R E T L
H L C S D F J L M Z O S W Q B
K V T S O V T M W O T N E D M
Y E A I A T B P H T M L O Q U
H N C I O F H Q U A N E O M T
X A L B R L G B J V G L T B U
H P E N P U E J L O Z E E E U
O H S P B J K N A T H S I F R
```

40. THEY ARE MADE OF GLASS

41. ON HYPNOSIS

AMNESIA
CATALEPSY
CONSCIOUS
DEEP
ECSTASY
ENTRANCED

FANATICS
FATIGUE
GAZE
INDUCED
INSENSIBLE
LAPSE

MESMERISM
PATIENT
PERIPHERAL
POSSESSION
PROFOUND
SENSE

SENSITIVITY
SLEEP
STATE
STIMULATE
SUBJECT
SUGGESTION
SUSCEPTIBLE
THERAPEUTIC
TRANCE
UNCONSCIOUS
WAKING

```
E P X P J O K W A T C E J B U S E W N A
Q T S W E E S S C I T A N A F Y A O I D
I B A H S E S U F L X E P Z A K I S N Y
C D N L H V D N S T K Z O J I T E U H S
E L O U U E I E E C F A F N S N O N L U
U J I T V M C W A S E G G E M F T C S O
G J S F H S I M A L B P G A O Y C O Y I
I D S T T E N T A I E G T R C L X N S C
T F E A R S R R S L U M P I B X A S P S
A K S C T A E A B S E J U H B K Q C E N
F Y S W N H N I P S I E R S K L Z I L O
T A O O P A S C M E T D B N S G E O A C
O M P I V N R E E A U Y H L J A V U T H
V H R L E L R T T Z J T E Z H M S S A P
A E Z S A I B S N T N E I T A P S I C V
P L N P S W C H A E P D E C U D N I S I
J I S M J K C M E C D M J A F P R Y E H
O E Y T I V I T I S N E S J P U X S O S
```

129

42. CLASSIFICATION

```
M D E S R Y N O I T A R A P E S A I W L
N R Y O F M W O W Y Y E D R Z J O Y K A
E T A T T O T I I T P P L W J R T G U D
D I E N I N H N C T S O E I G R D B E U
N L T K K O L S U T A T S A F I P N H H
O A N I C X F A N W V C N E V W O J C S
I B E H D A V G B N U I I I G M O K I O
T E M N G T R G X E Z H S F I I Q U C R
A L E X R D H B N A L I V N I A M L J T
Z L G X O N O I T I O T A M S D A N Y G
I I N V U I X I E N P T O S Q S O Q U M
R N A N P K O L Y R I U O Z S F B C O R
O G R M W H B K G O A R O V J N V I V M
G T R L Q Q G R N W T R Y R O G E T A C
E W A P L R R N A M P B C Z G P D B O H
T D R F A T F D E N D Y H H M E T S Y S
A S S D X L H N L W D L Z U Y N N J K E
C Q E S C K T I S N O G N I D N A T S Q
```

ARRANGEMENT	DIVISION	ORGANIZATION
ASSORTMENT	FILE	RANK
BRACKET	GRADE	SEPARATION
BRAND	GROUP	SORT
CATEGORIZATION	GROUPING	STANDING
CATEGORY	HIERARCHY	STATUS
CLASS	ILK	SYSTEM
CODIFICATION	KIND	TAXONOMY
DENOMINATION	LABEL	TYPE
	LABELLING	

1. It will whiten things
2. Broom
3. Barber's tool
4. Ringlet
5. Change the colour
6. Sharp bend in the road
7. Reddish dye
8. Varnish
9. Big wave
10. You wash hair with it
11. Fashion
12. Skinny
13. Hue
14. Grips for sugar cubes
15. Neat
16. Flags do this in the breeze

1. B ------
2. B ----
3. C ---·
4. C ---
5. D --
6. H ------
7. H ----
8. L -----
9. R -----
10. S ------
11. S -----
12. T ---
13. T ---
14. T ----
15. T ---
16. W ---

Puzzle submitted by reader Mr. R. Thompson, Douglas, I.O.M.

A DOUBLE PUZZLE
Solve the clues to find the
list of words hidden in the
puzzle. The answers are
in alphabetical order.

H	C	X	T	P	T	I	C	L	B	K	C	T	D	V
N	S	D	M	A	Z	B	R	O	W	U	Z	N	Y	T
V	B	U	U	Z	J	R	T	P	R	V	B	I	E	R
D	B	M	R	N	A	R	H	L	D	E	V	A	W	I
R	T	Y	O	B	H	D	I	X	G	D	Q	C	O	M
P	I	B	J	C	A	M	N	R	E	L	L	O	R	X
E	N	I	G	N	I	R	X	R	Z	I	Q	G	H	J
L	T	E	N	E	E	D	F	N	H	V	J	K	A	Z
Y	S	E	Z	U	X	H	F	B	I	O	Y	F	I	U
T	H	A	Q	T	D	O	O	P	M	A	H	S	R	Q
S	W	C	R	B	Q	Q	H	V	B	U	L	J	P	O
T	A	K	I	N	M	D	N	A	U	A	S	S	I	C
L	Z	K	U	S	G	N	O	T	V	L	C	B	N	A
H	M	C	O	U	N	I	Z	A	M	Y	B	H	U	S
C	G	H	C	A	E	L	B	S	E	F	C	R	M	D

43. HAIR CARE

131

44. TALK ABOUT GEARS

ANGULAR
AUTOMATIC
BEVELLED
COGS
CONICAL
CROWN
DIFFERENTIAL
DRIVING
ELLIPTICAL
FIRST
FOURTH
HIGH
HOOKED

IDLING
INSIDE
INTERMEDIATE
INTERNAL
LEVERS
LOW
MANUAL
MULTIPLYING
OVERDRIVE

OVERHEAD
PLASTIC
QUICK RETURN
REVERSE
SECOND
SPIRAL
SPUR
STEPPED
SYNCHROMESH
THIRD
TIMING
TRANSMISSION
WORM

```
V N C U V G O I B H R R W D E K O O H D
G P X V P P J K R C T H O X E F Z F D T
Z N D E L L E V E B R N Q O W M Q P S E
C L I D T G N I Y L P I T L U M W R O M
A R A M R E N O S A U D M R R O I N L H
J T O C I I R O V R Y J I V R F R C A S
D H F W I T V M I E E D N M K U O S N E
U I O F N T N I A S R V T S T G E T R M
N R F C O G P U N A S D E L S L S E E O
S D V F N U T I L G W I R L I S R P T R
I P D I E O R U L C Z K M I Q Z E P N H
X N L A M R G T O L C N E S V H V E I C
S D S A E N E N H I E L D L N E E D S N
I E T I A H I N U E A S I S O A R Q P Y
B I C H D C R Q T U E X A L H W R B I S
C G G O A E T E N I C I T S A L P T R L
J I E L N U K A V S A M E M T P O F A W
H F F E X D M I F O M L J R U P S Y L K
```

132

HARDER PUZZLE SECTION
45. WE'RE IN BUSINESS

WELCOME TO THE HARDER PUZZLE SECTION
The following puzzles are more difficult. Usually there are no lists to guide you. See how many words you can find and then check your list with ours at the back of the book. With some puzzles we have given you either a partial list or a clue as to how many words are to be found. We think you'll find these fun to do.

Now that you are in business you must keep your ACCOUNTS up-to-date, and issue INSTRUCTIONS to your staff. Being a BOSS is hard work, with STOCK-TAKING and CORRESPONDENCE, so you can have a rest while you search for the thirty-five items hidden in this puzzle.

```
A A S E T U N I M O N O I T A T C I D B
G U E A E W Z R N F Z R O C H A Y S W E
E D H C S C D M L A E E O F Z Z T C P C
N I H C L D N U O C M N E Z F O Z S E A
D T G O E F I E E O S S T T C I B K N S
A O T U B D N P D U R D E K T R C J C H
D R S N A J T R L N N W T L K I S E I F
V B I T L I Q T T A O A O R A N M T L L
E U P S O K A R H V K P G H O S Y M N O
R L Y N D N E T P I P N S I S P R S O W
T L T R C B R Y N U I Q T E E Y E V B C
I E O Y G O H G B L O C V W R I T R R C
S T I L H S X L I O U U R W P R T U A D
I I D S W S I A M R A I K O Y N O K C P
N N U P T C M A T P T R C D I O J C J B
G W A L I K D S O E M U D N A R O M E M
E P T T R S N X R G N I T E E M F A C U
R E Y U B I C X G M O R E S A R E X L B
```

46. PIANO PLAYING

Take some piano LESSONS and become an expert on the KEYS. You will have to PRACTISE, but you will soon be able to play a MAZURKA or a FUGUE. Don't forget your MUSIC CASE and listen carefully to your TEACHER. There are thirty-five items hidden here.

```
M S P L H T P D W K U W S E L A C S T Q
A L D E E A N O I T A N I M A X E E L I
Z A S Q R M C I J P E R O A W H U E F P
U D T T U F R J C R E V R Y A D S H R H
R E S S B X O T D H R P A R Y A H A D T
K P I W L K R R C F E I M E C N C N N E
A C R J A E U A M G I O G C U T Y D A N
C Q W O C I E H G A N N I H I G E S H R
D H Z N K T L I O Y N S G S T O U J T U
H O O M B E O T W Q U C E E E H S F F T
E C H P S O R R K M Q F E O R O A Q E C
C R M S S E M A I K P R R L F S G N L O
Q H O X C T G N I D A E R T H G I S D N
C N O N A B I L X L N X A K I S T Q O L
S O O R E O L C S E C E I P J T R J S O
J C D O D S O Q K K Q H H Y F U C M Y O
E O L O S S U U E S D B Z E T I H W E T
F L I U Y W D Q S W S H S E T O N O K S
```

47. A CHRISTMAS HAMPER

You will find lots of goodies hidden in this puzzle
list. There are NUTS and DATES, and a nice piece
of STILTON. You can also sample the GAME
SOUP, and have a glass of PORT.

```
A------          G------          S------
B------          J------          S------
B------          M------          S------
B----- B         M------          S------
C------          M------          S------
C------          N---             S------
D------          P----            T---
D---- F----      P----- F----     T-- O- H--
D---- C----      P------          W---
G--- S---                         Y--- L--
```

```
Y S G I F D E I R D G U I D C M G B X Q
T A E M E C H I M S I N U D X G H I B Y
P W Z Q B D E A Q U A N I A P N T S U E
U U T H I R T D Y P D L F F S X A C S M
T Y O S A I A L A E O D M B F K W U H T
Q J S S J L L N E L A R B O S U C I B L
K H T V E E N C D E A L T T N N T T P M
S R I C J M A U R Y A M M S T L C S A U
R U L E L K A B T N B I R Z A M Q H V M
B H T R E A T G C S M U Q A O X F G C F
Q X O E E R R M Z R O S T C M O O S T S
G A N Z O G A E E F E L O T N L J E P T
H L P H T N N P T C L L K I E V U T U U
J G S P G D P I U Z A M T L U R R A D N
I I P E L E T A G T C W U E G B U D O I
G R X L P E S D E J A Y Q B P N L Z I T
G R M V P L S S G E M D V R R E M S N Q
R D O B E D R A T S U M Y A T O L X G Y
```

135

48. BUSY DAY AHEAD

There is a busy time ahead, so set the ALARM CLOCK, and be ready for your business MEETING. You can write your LETTERS, or go SHOPPING, and by the end of the day you will be looking forward to your SUPPER and a NIGHTCAP. There are thirty-eight items hidden in this puzzle.

```
C D G Z R E W O H S D H J Y E E N R A C
O U N I A R T V E C R O Y C C H E H L G
M F J D S A G E L L U E I H S D W N C T
M E T N E N E O L R O F N R C T S H R P
U G V O S T T I N E F O E N S D P R O K
T F B I N H E E J O P T H A I M A E S K
E R R S E S Y L P M T H F C P D P T S C
R N I S V O C E E E M K O A S L E U W O
P U E E E Q S C L V A Z C N N M R P O L
T Y F F L Q H O S E I T V O E W G M R C
P E C O E B O U R B H S I B E L E O D M
Z Q A R E I P B G G W T I I A E I C L R
I O S P D P P N I B A L V O F T F A C A
J V E A E E I N U T U R A F N E H I M L
O X R R E T N S C N E G O E V I N K J A
S M P L E V G I C T E C O A T E R Z Q A
I C S E W L D H N V L I H K M O U Y Z I
F X M R T J U I M W M S M A W K N A B X
```

136

49. A BUTLER'S LIFE

Become a butler and learn about running a HOUSEHOLD. You will be able to supervise the DOMESTICS, and prepare the table for DINNER. You will have to answer the FRONT DOOR and the TELEPHONE. Find all thirty-three hidden answers.

```
W D U M S T E R C E S Y R E L T U C E F
W S S P A B R O O D T N O R F B Q G A P
N M R S S T T R A L L E C O Y E J K A
P E E T W T T X X E C S F E U W B L F N
A S P I B O A E T C P O R M T A J T L T
R U A L R A C I R I O E I E I I A A J R
L O P L I R A I R T T S E Z T N N D A Y
O H S R A J U D M S T E E K O N O U A C
U N W O H T Y A O R E D L I E W A R Y D
R W E O C H N W E M O L T E N S T . C L S
M O N M J E L S A O E E R S P R U O E M
A T P L E F S X R I R S T E E H H O U D
I H Q O T A K Y O C T A T V N E O E H H
D V H Y A M X A S G I I L I S N C N V Y
B Y T A T I H I F R U I N U C C I I E A
C X N L S L D A S L S O O G O S S D H I
V K U T E Y E L L A H H H O O O Z R R S
Z T A Y G N I N I A R T K P V E N I W M
```

137

1. WEAR IT

3. YOUR LUGGAGE

4. WHEN?

5. CASES

6. FOR YOUR PICNIC

7. OBSTRUCTION

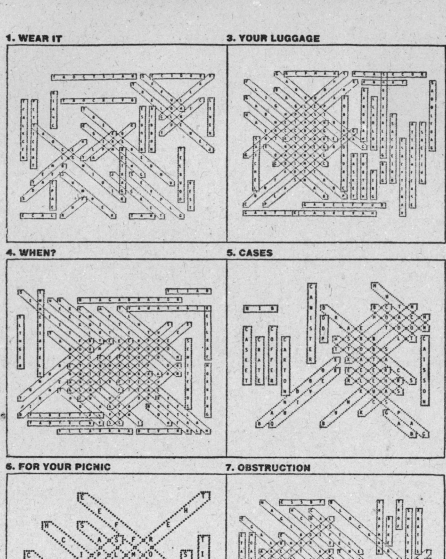

138

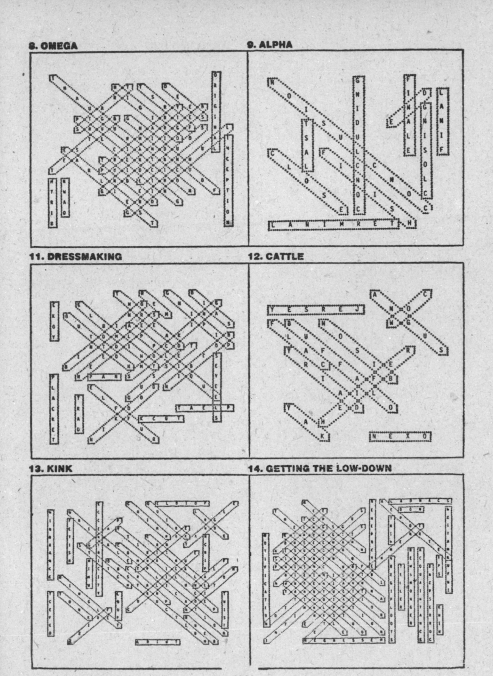

8. OMEGA

9. ALPHA

11. DRESSMAKING

12. CATTLE

13. KINK

14. GETTING THE LOW-DOWN

139

15. SOME FLOWERS

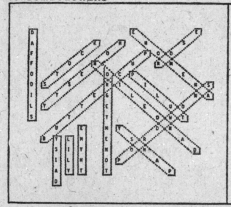

Anemone
Buttercup
Daffodils
Daisy
Dandelion
Forget-Me-Not
Honesty
Lily
Pansy
Rose
Snowdrop
Stock
Thyme
Tulip

17. FOREIGN CLOTHES

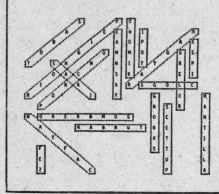

18. BROWNISH HUES

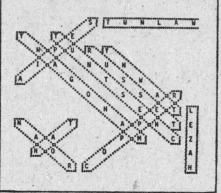

19. COVERING UP

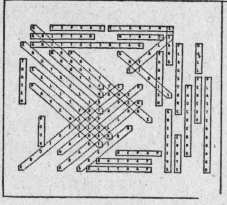

20. FAMOUS BATTLES

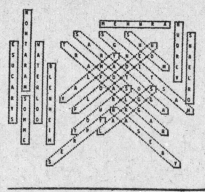

21. PLAYING POLO

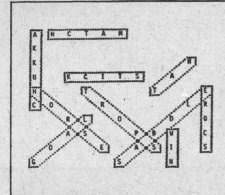

22. ROLL OUT THE BARREL

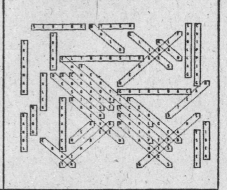

23. ALL THAT GLITTERS

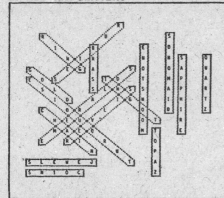

24. SHOWING-OFF

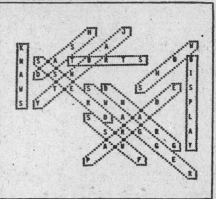

25. AT THE HOTEL

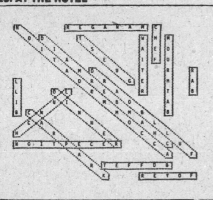

Accommodation
Bar
Bathroom
Bill
Buffet
Car Park
Chambermaid
Chef
Dinner
Foyer
Full Board
Guest
Lunch
Manager
Reception
Waiter

25. DESIGNER

10. PLANT THESE BULBS

2. WRITING

26. THE ROUND TABLE

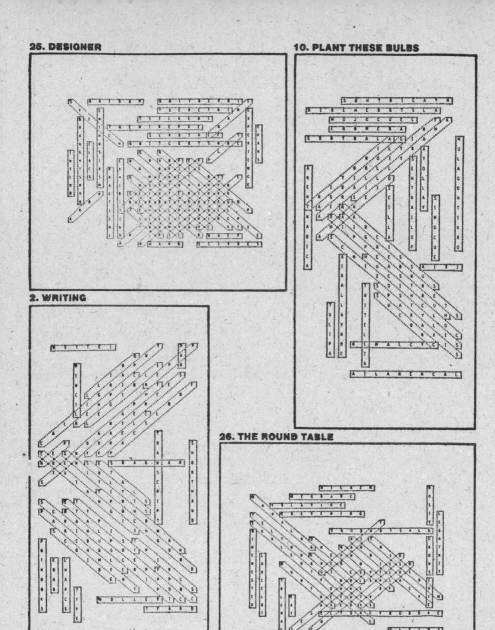

29. A GIFT

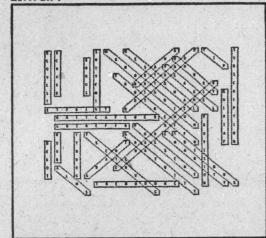

27. THEY CAN MAKE YOU FAT

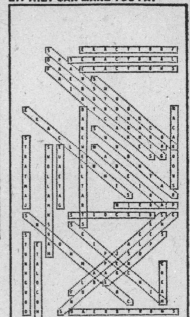

16. KEEP YOUR COOL!

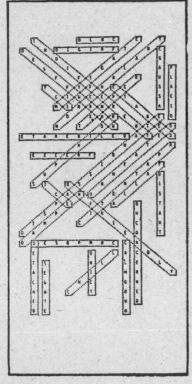

30. DOG TALK

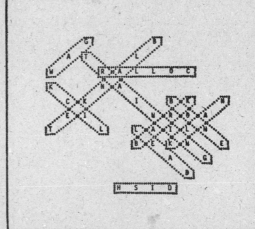

143

31. USING WORDS

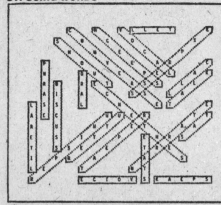

32. BLESSING

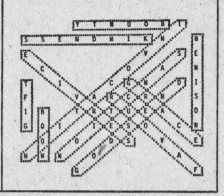

33. VISITING THE DENTIST

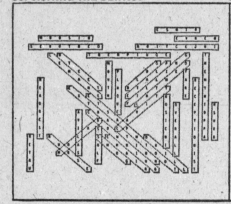

34. DULL

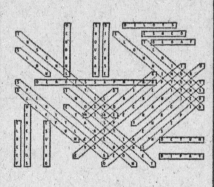

40. THEY ARE MADE OF GLASS

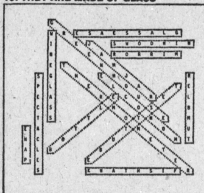

Bottle
Fish Tank
Glass Case
Greenhouse
Jam Jar
Mirror
Monocle
Pane
Spectacles
Test Tube
Thermometer
Tumbler
Windows
Wine Glass

144

35. SONGS OF THE BEATLES

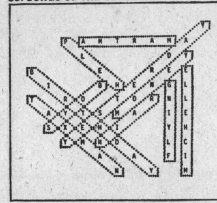

36. PASSING ON THE NEWS

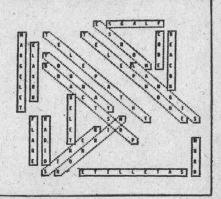

37. GO ON FOR EVER

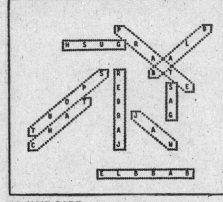

38. OUTCAST

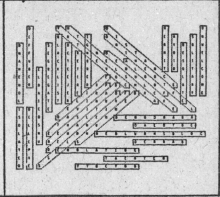

43. HAIR CARE

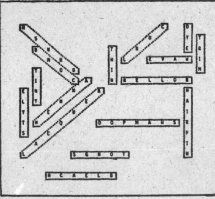

Bleach
Brush
Comb
Curl
Dye
Hairpin
Henna
Lacquer
Roller
Shampoo
Style
Thin
Tint
Tongs
Trim
Wave

39. SOME BRITISH ISLANDS

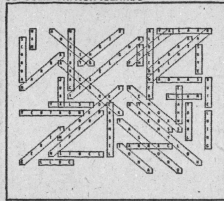

41. ON HYPNOSIS

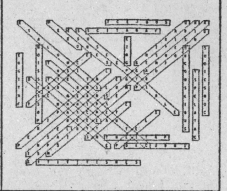

42. CLASSIFICATION

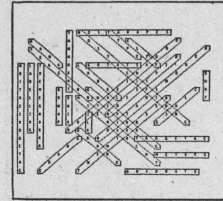

44. TALK ABOUT GEARS

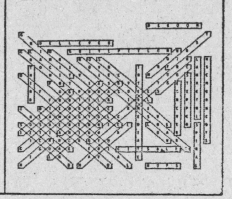

HARDER PUZZLE SECTION

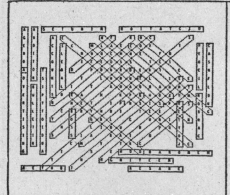

45. WE'RE IN BUSINESS

Accounts
Advertising
Agenda
Audio Typist
Auditor
Boss
Bulletin
Buyer
Carbon
Cashflow
Committee
Consultancy
Copies
Correspondence
Dictation
Eraser
Fluid
Instructions

Jotter
Keyboard
Labels
Mailing
Meeting
Memorandum
Minutes
Office
Pencil
Publicity
Reception
Report
Salesman
Shorthand
Showroom
Stock-Taking
Typewriter

46. PIANO PLAYING

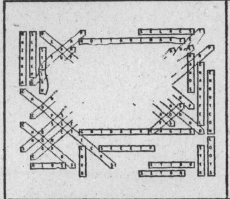

Arpreggio	
Black	Music Case
Chopsticks	Nocturne
Chords	Notes
Concert	Parts
Concerto	Pedals
Duet	Performance
Examination	Pieces
Fingers	Practise
Fugue	Right Hand
Hands	Scales
Harmony	Sight-Reading
Keys	Soft
Left Hand	Solo
Lessons	Stool
Loud	Teacher
Mazurka	White
Music	Wrists

47. A CHRISTMAS HAMPER

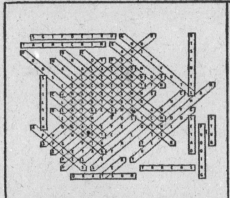

Apples	Nuts
Biscuits	Peppermints
Blancmange	Petit Fours
Brandy Butter	Port
Chocolates	Pudding
Claret	Salmon
Dates	Sauces
Dried Figs	Sherry
Dundee Cake	Shortbread
Game Soup	Stilton
Ginger	Stuffing
Jelly	Tea
Marmalade	Tin of Ham
Mincemeat	Walnuts
Mustard	Yule Log

48. BUSY DAY AHEAD

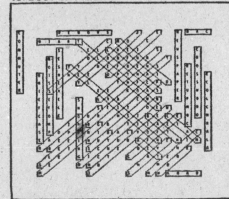

Alarm Clock	
Bank	Mail
Bath	Meeting
Breakfast	Newspaper
Briefcase	Nightcap
Bus	Office
Car	Profession
Cinema	Radio
Clothes	School
Coffee	Shave
Commuter	Shopping
Computer	Shower
Crossword	Sleep
Dictation	Supper
Dinner	Tea
Elevenses	Telephone
Interview	Television
Journey	Train
Letters	Work
Lunch	

147

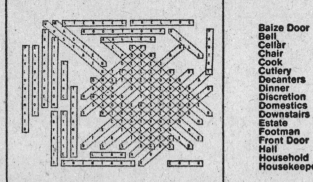

Baize Door
Bell
Cellar
Chair
Cook
Cutlery
Decanters
Dinner
Discretion
Domestics
Downstairs
Estate
Footman
Front Door
Hall
Household
Housekeeper

Loyalty
Master
Mistress
Newspapers
Pantry
Parlourmaid
Secrets
Silver Tray
Stillroom
Telephone
The Family
Town House
Training
Upstairs
Waiting
Wine

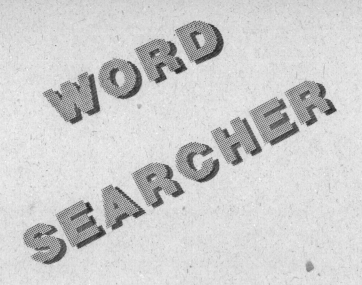

WORD SEARCHER

Answers to this section on pages

192 – 202

1. ORIENTAL RUGS

AGRA
BEIJING
BHADODI
BRASOV
BUKHARA
DALEIN
DHURRIE
DORNA
DRUGGET
GABBA
HARMON

HEBEI
INDO-HEREZ
INDO-KARAJA
INDO-KASHAN
INDO-TABRIZ
JAIPUR
KASHMIR
KELIM
KHOTAN
LHASA

MILCOV
MIRZAPUR
NAKSKA
OLT
SAFF
SHANDONG
SHANGHAI
TIANJIN
TIBETAN
TURKOMAN
XINJIANG

```
O N Q I I Z T G N I J I E B H I D M A M
S W A V O I E A D G G U W A N R O D I G
S D G T A G R R I M H S A K Y R L R H
A L C N E A R Y E S I M W Z R U E N U T
F R J V H B O N B H N N T V I K A O P L
F I Z K O A I U D S O R S N B T O N A O
N F U E H P E T H T E D D O O L A A Z K
V B I A H G N A H S Z O N H Y W B H R U
D I E P Z R N H V I K G K I U Z B S I D
S B F N U D A O R A O E N E N K A A M E
F H D S O R C B R G T X I A C T G K C C
N A C N M L A A D N I U Z R I N Q O L Y
A D G O I T J U R N Z E R M R J V D G J
K O N M O A K O U I P R B K R U N N A Z
S D T D Y O U P G E T F A E O B H I P G
K I N U G A R V G L D L U R H M P D X M
A I V O S A R B E A P W T Z G U A A V E
M A S A H L J S T D R F P V R A B N K E
```

151

2. DIRECT

ADDRESS
ADMINISTER
ADVISE
BALD
BLUNT
CANDID
COMMAND
CONDUCT
CONTROL
FORWARD
FRANK
GUIDE

HANDLE
HONEST
IMMEDIATE
INFLUENCE
INTEND
LEAD
LEVEL
MANAGE
MEAN
ORDER
ORIENT

OUTSPOKEN
PERSONAL
PLAIN
POINT
SHORT
SINCERE
STRAIGHT
SUPERVISE
UNDEVIATING
UNEQUIVOCAL
UNSWERVING

```
B L Q Z R F U V U C E E T N I O P K E S
F N E K O P S T U O K B C P B A D A L S
T R K W G K Y K I N F N K N T L B J D E
A S A V S N Y V Y T N C S N E T P L N R
S E U N A E S I V R E P U S N U C O A D
I I G N K D R H C O F L B E G V L X H D
B J N A D T M B Q L B O I J N L L F R A
U Q I C N E S I C T L R F A I E L Z N O
W N D M E A V E N P O H Q O V Z V Z R I
G V E A M R M I N I L W T E R J H D S U
Y U M Q E E E X A O S A L S E W E G T P
C X I E U L D M G T H T I A W R A N C R
D O V D A I D I R K I N E N S I F R U S
I K M N E N V A A S C N O R N X O E D H
D E P M E G I O P T E M G C U T O L N O
W K S T A G Y P C Z E S I V D A B J O R
A H N Z H N U G O A M T U M D L A B C T
C I D T R A D V S A L A N O S R E P I G
```

3. GAUNT

```
N C T R E V V Q T Z S X I S O
S B B D T H N N L A P Q G L Q
W Q A I Q H N D N E B H D T U
R C R S I K I E E H A Y R K Y
E P E M V C K N Z S U N A F P
T U Y A G A S B E R O J G Z F
C L K L S N E C B A S L G X I
H L D R Q P I M K H I Y A W C
E B O S L S N D A A Z I H T Y
D F S R L R P E D C E T C N E
T X H G O E C A X I I L W F G
E H R L R Q N G R F B A B E F
T I R Y N Q Q D V E R R T H B
M O K M I L S F E C G Q O E P
F N N E R R A B S R B Q S F D
```

BARE
BARREN
BLEAK
DESOLATE
DISMAL
EMACIATED
FORBIDDING
FORLORN
FORSAKEN
GRIM
HAGGARD
HARSH
LEAN
SCRAWNY
SKINNY
SLENDER
SLIM
SPARE
THIN
WRETCHED

4. OBESE

CORPULENT
FAT
FLESHY
GROSS
HEAVY
PLUMP
PORTLY
ROTUND
STOUT

```
J O L R Y C M E N K U
I W H O O G M S P H J
F X C E R T S Y E J Y
A S O O A O U B S H Q
T H R E R V G N S M X
U T P G D Z Y E D U E
R K U B B Y L T R O P
M O L K C F R E I T E
N U E O P M U L P Q O
D A N F U T U O T S H
R O T L N P E A G V C
```

5. ROLL

ADVANCE
BUNDLE
COVER GROUND
GO FORWARD
IMPEL
INVENTORY
LIST
LUMBER
PITCH
PIVOT
PROGRESS

PROPEL
PUSH
REEL
REGISTER
REVOLUTION
REVOLVE
ROSTER
ROTATE
ROTATION
SPIN
SPIRAL

SWAGGER
SWAY
SWING
SWINGING
SWIRL
SWIVEL
TROLL
TWIRL
WAVER
WHEEL
WHEELING

```
F K E V P G T W E S Y K M A I Y H E P L
T B T N P U A L P E M A O J R T I C I C
I R W R O V S I E N S S W O V N B S O L
Z E I S E I R H O E W P T S E U T V R E
Y G R R H A T J Q I H N N L N D E O P P
X G L M L I T A N A E W U D T R S I X O
X A N F E U O G T V X M L L G T V R S R
Y W D N L C J A N O B E L R E O D O M P
E S F O W U N I T E R O O R T M R T L J
U I V G I H U A R U R U Q U T R A A W E
V E S N O M E E V T N G D L R E W T V S
R F T I Z E O E K D N N E U P T R E C S
O J F G X V N Q L I A V I S H S O J P E
P J J N N L O F P I I A Q M R I F L H R
I I X I L O O D S L W N V U E P G O Z G G
T S Q W P V W D S M Q G E U E E G R Q O
C A I S S E J S E C H L O T H R L C S R
H P V Z H R L R I W S N H U F L V J E P
```

154

6. CROSS JIG

The centre and corner units are in the correct position. Rearrange the remaining squares to form complete words

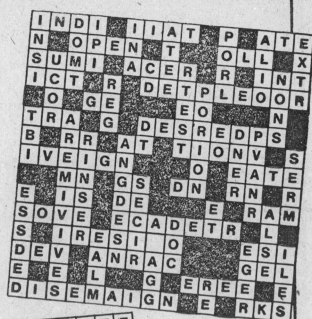

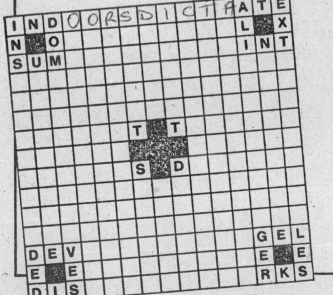

7. FIGURE IT OUT

ASSESS
ASSUME
BELIEVE
BODY
BUILD
CALCULATE
CIPHER
COMPUTE
CONCLUDE
CONTOUR
COUNT
DEDUCE
DESIGN
DIAGRAM
DIGIT
DRAWING
ESTIMATE
EVALUATE
FEEL
FORM
GUESS
HOLD
ILLUSTRATION
IMAGE
INFER
LIKENESS
MAINTAIN
MEASURE
NUMERAL
OPINE
ORDINAL
OUTLINE
PATTERN
PHYSIQUE
PICTURE
PREDICT
PRESUME
QUANTITY
RECKON
SCORE
SHAPE
TRACING

```
E G M T I B N H R S H E M M
C A Z N L C Q E N C Y R O R
T T L U E F O L Q O P S N O
N O B O G U A N K R S Q R F
O D U C B R Q C T E E U E A
D K G T E N O I N O U H T S
E E R M L N B E S J U Z T S
D K U R C I K A E Y F R A U
U N Z L H I N S T U H M P M
C J U T L C E E A H R P N E
E D U X C V E E L A J T O H
E Q A Y E T M D U T C L K H
L R U I U U I J C C R A C Q
T F L P S A S F L I N Y E C
Q E M E G E Z Y A D R W R K
B O R R S T P E C E Y T Q V
C P A Y I T V A W R E F N I
V M I M E A I F H P P Z K N
J P A Q L R K M B S G H O R
B G Q U U O U M A N W I E E
E V A S P A T S I T T X I F
P T B I S R N W A A E S Q N
E I N U A E A T R E R S D I
U E C C I R U T I E M E T A
U L I T D L S G H T S S I T
Y N E B U U D P F I Y S G N
G A O E L R I G G B B A I I
M D Z L F C E N D L O H D A
Y D I L A N I D R O T O Q M
```

156

8. PROGRESS

ACCELERATE
ACCELERATION
ACHIEVE
ACHIEVEMENT
ADVANCE
ADVANCEMENT
AMELIORATE
AMELIORATION
BETTERMENT
BLOSSOM
CONTINUE

DEVELOP
DYNAMISM
ENTERPRISE
FLOURISH
FORGE AHEAD
GAIN
HEADWAY
IMPROVE
IMPROVEMENT

LEAD
LOCOMOTION
MOTION
MOVE FORWARD
MOVEMENT
OVERTAKE
PROGRESSION
PROMOTION
REFINEMENT
TIME
UPLIFT

```
U G C E N R E S I R P R E T N E J D J Z
P A L T D O Z B M A J N P T M A N G E E
L I D H Z Q I V B W C R P B R O Z T G T
I N Y S P F V T S E O H A O I D A R A A
F D N I E U R L A M T D I T L R A Q J R
T R A R C T K T O R V T O E O E D E N E
P A M U R S N T N A O M E I V A V O L L
R W I Q O E I E N E O I L R E E I E R E
O R S L O O F C M C M E L H M T M S D C
G O M F N J E I O E M E A E A E O E P C
R F C Y G M A L N A V E V R M H N M N A
E E F O E U F C B E G O E O D A O T A T
S V I N N S G P H R M L R M M S I F D H
S O T F N T P Z O I E E L P S T F W V Y
I M O U G Q I F H C E H N O M W G T A G
O I E B Y G U N C L M V L T Y I C A M O
N W K T G V D A U S G B E E M I T O C W
K Y A W D A E H V E E K A T R E V O E H
```

157

1. Bulky
2. Vigorous
3. Well-developed
4. Sturdy
5. Round and plump
6. Important
7. Having much flesh
8. To the brim
9. Spacious
10. Large and heavy
11. Rounded out
12. Stately
13. Strongly built
14. Dark brown beer
15. Tall, strong and healthy
16. Had plenty to eat

1. B - -
2. B - - - - - - - -
3. B - - - - -
4. B - - - - -
5. C - - - - -
6. C - - - - - - - - - - -
7. F - -
8. F - - -
9. L - - - -
10. M - - - - - - -
11. P - - - -
12. P - - - - -
13. S - - - - - - - -
14. S - - - -
15. S - - - - - - - -
16. W - - - - F - -

9. EASILY NOTICED

V	L	O	N	J	F	W	D	J	R	H	W	C	S
O	A	D	O	U	O	M	J	U	G	E	T	T	O	S
V	U	A	O	R	B	N	V	N	L	U	A	H	H	N
E	V	I	S	S	A	M	I	L	O	L	S	W	P	G
P	Z	Z	J	T	T	P	F	T	W	I	B	Z	S	N
B	H	S	H	K	P	E	S	A	D	I	R	S	C	I
A	Y	C	I	A	D	Y	R	E	W	O	A	B	B	C
F	M	L	R	C	L	T	R	L	T	U	W	I	N
F	V	T	T	R	G	A	O	T	A	E	N	K	G	U
I	S	M	U	R	B	I	T	A	P	R	Y	Z	D	O
T	K	B	H	L	O	J	M	Q	J	M	G	D	M	B
P	A	S	E	I	L	P	A	X	A	W	U	E	M	H
H	M	F	Q	L	G	G	R	Q	W	C	M	L	L	M
U	F	K	U	B	E	U	D	W	C	X	D	F	P	Y
M	B	F	J	Y	N	A	H	Y	B	B	U	H	C	O

10.FIRE

ANGUISH
ARDOUR
BLAZE
BONFIRE
BRANCH
COMBUSTION
CONFLAGRATION
DAZZLE
DETONATE
DISCHARGE
EFFULGENCE
EXCITE
FERVOUR

FEVER
FLAME
FUEL
GLORY
HEAT
IGNITE
IMPASSION
INCITE
INFLAME
KINDLE
LIGHT
ORDEAL

PASSION
ROUSE
SET ABLAZE
SHOOT
SPARKLE
SPIRIT
STIMULATE
SUFFERING
TORCH
TORMENT
TRAGEDY
TRIAL
ZEAL

```
E W K H O C A L T V Z G E T I N G I E U
X Q C B O N O N I N S T H L E U F Z R J
C W C N G I E W I G A K R I C T A E I A
I G S U I N T N B L N Y S S R L N G F K
T Z I D R I C A U U E T J D B E P B N O
E S P O R I H M R L S G B R A F F V O L
N V T I T C I I E G A T R R U Z E F B I
I U P E R T N C F T A E I A A O Z V U L
N S N O S F G K F J A L Z O H N V L E S
P R T P L S O T U S Z N F T N C C R E R
A N U A Y P R A L N E L O N R R S H E Z
S I M N K A S D G S Z T A T O I S I C F
S E H W G R H K E S V A A E E C A G D L
I Q E E L K O F N S E E I B D D S L X A
O C D T T L O S C F U H Q P L R X G A M
N Y I O N E T N E R U O D R A A O K O E
S T E L D N I K P K Z L R K V T Z A V S
L L J N O I S S A P F V R O L G N E U Y
```

11. ROMANTIC

ADORING
ADVENTUROUS
AFFECTIONATE
AMOROUS
ARDENT
AUDACIOUS
CAPTIVATING
DARING
DEMONSTRATIVE
DEVOTED
DREAMY

EMOTIONAL
EXOTIC
FABULOUS
FANCIFUL
FANTASTIC
FERVENT
GLAMOROUS
HEROIC
IDYLLIC
IMPASSIONED

IMPRACTICAL
LEGENDARY
LOVING
MYTHICAL
PASSIONATE
PICTURESQUE
QUIXOTIC
TENDER
UNREALISTIC
UTOPIAN
VENTUROUS

```
X L A N O I T O M E C I T O X E C G T S
Z U M C W A O L T N E V R E F I L N S Y
B I N R S L D J A S E E O F O A E U M V
L D T R Z R Y V U C C E A R M D O A E I
U Y E L E L F O E A I N E O R R E N P D
F L M V A A I E P N T H R A O R T I E T
I L U E I C L T T A T O T M D U Z N F E
C I T S A T I I S A U U A Y R Y O C A U
N C G D G V A T S S N E R O M I H X B Q
A N U G A U I R C T T O U O S V L O U S
F A I T N C T D T A I S I S U I D I L E
V C I G Z I E O N S R C A T M S X U O R
X N A H P V R O P T N P M R C O U S U U
G N I V O L I A E I M O M B T E T L S T
K K E T J S F N D I A P M I T T F C W C
F Y E L S I D P S S F N C E A M T F V I
N D X A I E Z W I G N I R O D A R Z A P
V J P Z R W T D U Y R A D N E G E L T M
```

12. THIS IS THE END

```
V N P V N O I T A R I P X E
Q I T T I U R F H Y L O Y E
T S I E S O P R U P T E H M
E I E N R K M J M S L V S R
U N E T O M N W N R U I I E
S T M N T I I N M J S T N S
S E O T T L T N I C E C I O
I N C Q N C E A A J R E F L
E T T R N I E M N T O J H U
T I U N U O O J E I I B R T
A O O V E T I P B N T O A I
N N Z C I M E S E O T S N O
I Q M M E G L X U P C I E N
M F I S D S T I C L C Z O D
R L C E U R S F F O C I L M
E W M O E R I A N L T N A R
T S Y M N N C S T F U F O F
E H I Q A S E E E I T F E C
H T T L F Q U N A E O D V D
Y C E X U U D M R S I N E I
I O J E N I Y M M S E N N N
M N N I N V A R C A O H T T
A C R G C T T O A U T Y E E
E L B B H E N G E D L I W N
C U R P C T E M N A N S O T
A D X E I S E H O Z D U J N
U E A N O N Z G E N R U O B
S S U L T S U N I M R E T B
E E C H O I T E L P M O C I
```

AFTERMATH
AIM
BOUNDARY
BOURNE
CAUSE
CEASE
CESSATION
CLOSE
COMPLETION
CONSEQUENCE
CONCLUDE
CONCLUSION
CONSUMMATION
DENOUEMENT
DESTINATION
DISCONTINUE
EDGE
ENDING
EVENT
EXPIRATION
EXTREMITY
FINALE
FINISH
FRUIT
FULFILMENT
GOAL
INTENT
INTENTION
ISSUE
LIMIT
OBJECT
OBJECTIVE
OUTCOME
POINT
PURPOSE
RESOLUTION
RESULT
SETTLEMENT
SURCEASE
TERMINATE
TERMINATION
TERMINUS
TIP

161

13. TOURISTS' ROUNDABOUT

**Answer the clues to find the two diagonal towns.
The last letter of each answer will be the first
letter of the next answer.**

1. Small fruit
2. Affirmative
3. Safe
4. Composer of "Pomp and Circumstance"
5. Payment for letting
6. Cooked bread
7. Loiter
8. 24 hours ago
9. Story
10. Short letter
11. Hard shiny coating
12. Limb
13. Hand cover
14. Way out

15. Ends of main railway lines
16. Hinder
17. Level
18. Not old
19. Maker of cloth
20. A bone
21. Roots of spring flowers
22. Town road
23. Nervous facial movement
24. Small piece of bread
25. Result of too much heat
26. Close

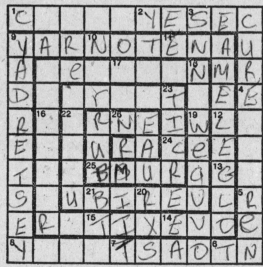

14. EXCLUSIVE

```
C O D E V I S N E P X E R C E
E T U L O S B A N I A G N T Q
E U J E Y C N A F J B Y E D E
S V V P U L B B K O U L R L I
P E I P B N B F I L P H E B U
J H L T R G D M L M X G H N L
M E S E C I G I O U A D I L S
G N K I C I V C V N X Q R U B
F T B X N T R A T I U Z H X K
K I D A U N S T T E D J F U B
B R N P P L A O S E F E J R D
F E H Z T Y P L L E O Y D I P
G L A T O T U H C E R Q C O X
L A U D I V I D N I F L L U B
B Z N O S O K M J S F Y V S U
```

ABSOLUTE
CLANNISH
COMPLETE
ELEGANT
ENTIRE
EXPENSIVE
FANCY
INDIVIDUAL
LUXURIOUS
PRIVATE
RESTRICTIVE
SELECT
SOLE
TOTAL
UNDIVIDED
UNIQUE

15. COMPREHENSIVE

BROAD
EXTENSIVE
INCLUSIVE
KEEN
UNIVERSAL
WIDE

```
D L A S R E V I N U X
A I K L T S G K A T E
O R N C L K E Y O X X
R G Y C C S E D T P V
B P X T L K I E I A R
I U K X F U N T N W T
B R I G T S S G Y J C
X G P G I O M I B N Y
V K C V M F K B V U Q
P T E L V L U I R E G
R F H F G Z W W V Y Y
```

16. AN INTERVAL

```
X E F I M T C X N M O G Z Y E
I X G D G X R G D F S U H S R
G E M I T N A E M U M P P A W
U T S U T A I H H E X A I P A
L C K W P K V C A L L N T A O
F N B S W X A N I U T S L U G
E T W G X T W E R E V O J S Z
N D F H Z H M I R E T N I E G
M O U R I G H M H B C J M A. B
L K E.L V Q I Q Y C G E P I E
G S E O R S I A I I T L S L K
T C J K S E E T I P S E R S I
R R L I A D T P Z R I F R U V
B P O S Q A D N Y O I D X T W
S N C U G O O P I Q G I J Z S
```

BREAK
GAP
GULF
HIATUS
INTERIM
INTERLUDE
INTERMISSION
LAPSE
MEANTIME
MEANWHILE
PAUSE
RECESS
RESPITE
REST
STRETCH

17. NO BREAK

CONTINUING
ENDLESS
ENTIRE
INTACT
UNBROKEN
UNDIVIDED
WHOLE

```
F C U W Y H J H G D C
E D N E O S Y G E C F
S H B E R O H D O A P
T S R N Q I I N P W I
P T O A N V T E D A N
S Q K J I I N N K G T
M O E U N D E D E O A
Z D N U L M G L A V C
L U I E W Q Z Q O Z T
R N S B W U F F T H K
G S H K S X T W Y Z W
```

18. STORM

ASSAULT
ATTACK
AVALANCHE
BARRAGE
BLOW UP
BLUSTER
BOMBARDMENT
CHARGE
COMMOTION
CONVULSION
DELUGE

ERUPTION
EXPLODE
EXPLOSION
FLARE UP
FLOOD
FLURRY
FULMINATE
FUME
OUTBURST
RAGE
RAIN

RAMPAGE
RANT
RAVE
RUN AMOK
RUSH
SEETHE
SET ON
STRIKE
TEMPEST
TUMULT
UPHEAVAL

```
M K E M O U C C N D O O L F X C E K E A
T D E H E L E C O T P T K V P B C F E N
T S G G C G T I R M L G U C O Z U W W O
S E R K R N U U P Z M A O A A M K L E T
E T W U J A A L W Q R O V A E T F O Q E
P A A R B B H L E U I E T A Q L T J G S
W N P W L T O C A D L C T I E G H A T N
E I V S I T U M U V R T W S O H R I O L
T M E E N N N O B U A Z K H U N P I L E
M L D V F O R A S A U O K O V L S U G Q
D U O A L I I H R R R E D F M O B A L E
H F L R A S W T L R V D L B L A R Z G T
A Z P M R L G V P C R U M P L R N A P L
T Y X D E U B Y F U R A X E A O P U R U
M W E P U V W V Z R R E I B N M W P R A
G W H P P N O A Y R I E R N A T V U N S
F V X Q E O E H T E E S B R S H P Q P S
D U N M J C W E K I R T S J F U L I H A
```

19. WALK FREE

AISLE
AIRING
AMBLE
AMBULATE
CATWALK
CONSTITUTIONAL
CROSSWALK
ESPLANADE
FLOUNCE
FOOTPATH
GAIT
HIKE

HOOF IT
JAUNT
LANE
MEANDER
PACE
PARADE
PASSAGEWAY
PATHWAY
PROMENADE
RAMBLE
SAUNTER

SIDEWALK
STEP
STRIDE
STROLL
STRUT
SWAGGER
TRAIL
TRAIPSE
TRAMP
TREAD
TREK

```
D E E L S I A Z E U F C Y P V E E W P E
H T A P T O O F K L L G R R M L E E K E
T L L O R T S L O I A Q E O H A T C S H
I H U W J Z A U A I E D N C S S R P A C
F N Z N Y W N R T T A H S O S S I T Y P
O A R E T C T A R N V A S N A A W Y T H
O I L A E M R E E T U W Z S R U U A W E
H R C X M Y K M O N J A R T P J A W L S
Q I O A T B O X T U E M F I X M S E R K
Q N N U R R L E M A K B J T B Z P G E G
Z G R M P I R E Y J I L E U M Q P A G I
M T M K T C K Y I A H E L T R L N S G D
S C O E R R B R E M W A Y I P Y A S A A
E D A N A L P S E N T H Y O T A D A W E
A T O E S N S B G E A O T N G Z R P S R
E D I R T S D K A R E L G A G K U A D T
M J D D C J J E H T V M R L P X Q I D T
L E F T F J O A R J R K L A W E D I S E
```

20. CROSS REFERENCE

All the letters of the alphabet are used to complete the puzzle.
The same number always represents the same letter – e.g. 16
is always A.

1	2	3	4	5	6	7	8	9	10	11	12	13
4	Z	K	E	U	M	Q	B	X	P	D	I	V

14	15	16	17	18	19	20	21	22	23	24	25	26
R	L	A	T	C	V	G	N	H	S	O	J	W

21. CONSIDERATION

ACCOUNT
ADVISEMENT
ATTENTION
CAUSE
CIRCUMSTANCE
COGITATION
COMMISSION
COMPENSATION
CONSIDERATENESS
CONTEMPLATION
DELIBERATION

FEE
FRIENDLINESS
GROUND
INDUCEMENT
JUDGEMENT
KINDNESS
MOTIVE
PAY
PAYMENT
REASON
RECOMPENSE

REFLECTION
REGARD
REMUNERATION
SAKE
SCORE
STIPEND
STUDY
TACT
THINKING
THOUGHT
THOUGHTFULNESS

```
H X E J C V I N L V X N H M T T S C B J
N H S S E N I L D N E I R F N A L D Y R
N R H T U N O I T A L P M E T N O C A R
C E D G N A J V E T K E M T F U E C N N
D C I Y O S C R W H N E V M E G G O J O
K O K F I E O C J O C U M I E L I N Z I
C M N V S C C Y O U R L O R T T H S C T
O P Q O S A A N D G D E T C A O Q I N N
M E K G I P M N A H I G A R C K M D O E
P N I N M T I K A T C T E S S A T E I T
E S N I M D A J I F S B A M O N H R T T
N E D K O N D R Y U I M P T E N V A C A
S D N N C E R J E L Y M U M I N P T E F
A N E I J P A K E N K D Y C X O T E L E
T U S H N I G D I E U A U I R A N N F K
I O S T A T E H X S P M O T C I X E E A
O R R X G S R F U S H W E T S F C S R S
N G T N E M E S I V D A S R K Z M S S D
```

1. Its first is a 'Fools' day
2. Inspires reverence
3. Season of mists
4. Christmas month
5. Christian festival
6. Shortest month
7. Reaping time
8. First month
9. Initially, Jim Used Lots Yearly
10. Girl's name
11. Walk in time
12. Hawthorn blossoms
13. Guy Fawkes' month
14. Sowing season
15. Best rep? Me! (Anagram)
16. To leap
17. Warmest season
18. Jack Frost's favourite time

1. A - - - - -
2. A - - - - - -
3. A - - - - - -
4. D - - - - - - - -
5. E - - - - -
6. F - - - - - - -
7. H - - - - - -
8. J - - - - - -
9. J - - - -
10. J - - -
11. M - - - -
12. M - -
13. N - - - - - - -
14. S - - - - T - - -
15. S - - - - - -
16. S - - - - - -
17. S - - - - -
18. W - - - - -

22. TIMES OF THE YEAR

M	E	N	D	U	A	L	Q	T	T	Z	Y	G	Y	S
D	T	F	W	E	I	A	S	R	T	Q	L	D	U	E
C	S	F	H	R	A	U	J	E	A	S	U	M	Y	P
H	E	S	P	V	G	S	Y	B	N	F	J	R	R	T
Y	V	A	D	U	T	G	T	M	D	U	R	E	A	E
Q	R	D	A	S	W	O	F	E	U	L	H	B	U	M
E	A	F	F	U	E	V	R	C	R	M	H	M	R	B
J	H	T	C	E	U	E	R	E	S	E	M	E	B	E
X	G	R	A	C	T	Y	D	D	F	N	B	V	E	R
M	E	N	K	N	R	I	Q	T	C	U	U	O	F	J
M	C	M	I	A	M	E	M	U	I	J	K	N	M	U
S	Y	W	U	R	E	U	M	A	C	M	X	O	H	P
L	A	N	W	A	P	Y	T	M	R	H	E	W	O	Q
M	A	W	B	T	P	S	A	U	U	C	Y	A	Y	U
J	D	F	F	O	R	V	S	M	A	S	H	T	O	Y

23. SHIELD

AEGIS
AMBUSH
ARM
ARMOUR
BUCKLER
BUFFER
BULWARK
CAMOUFLAGE
CARE FOR
CHAMPION
CHERISH
CLOAK
COMFORT
COMFORTER
CONCEAL
COVER
CUIRASS
DEFENCE
DEFEND
DEFENDER
DISGUISE
ENVELOP
FORTIFY
GUARDIAN
HIDE
MAIL
MANTLE
PATRON
PROTECT
PROTECTION
PROTECTOR
SAFEGUARD
SAVIOUR
SCREEN
SECRETE
SECURE
SHADE
SHEATHE
SHELTER
SHROUD
VEIL
WRAP

```
U N N E E R C S K E R U S A
E O O O W D T U D T E U H I B
N R L I A Z N O L E E A S I
V T J R P E E T I L U E E N
E A M U F M N R T V C G R D
L P V E R A A E E U A I V E
O E D L M E R H R V R S Z F
P H H P S J L E C E O Q S E
Y F I T R O F K T D E C D N
S T W A A Y R R C G T I I C
V H L A A E O T A U S R Y E
E J R K M F H L C G B J L C
I C B O M B F S U E X N I N
L L Z O U U U I S C T L A C
C O C V O D S S M A O O M E
T A D M Z E N B H F G M R J
X K A R E D N E F E D N P P
S C R O F E R A C E O T R F
E Z B H Z W T F P I X V O N
C R E F F U B G T A T C T B
R D N I L R S C N S M O E U
E D R A U G E F A S R M C L
T C S R I T N H V P U F T W
E O K S O D S J S I O O A
F N W R A H R X Y I M R R R
C C P R A R E A E D R T P K
S E Y D A S I V U D A E E D
M A E B A P R U M G I O H U
R L C N S T L T C Y O H X C
```

170

24. PROFOUND

```
U Q N C A E T E L P M O C M S
V E U S C J C I C H E E F D E
W F T F C V T W C S C V G K R
I P T I G H A Y I N T I K I I
J L V H D T O W A O D S S I O
L D E P O U A L C Y E I M M U
S X E A G U R B A H E C R Z S
A Z G M R S G E S R P N E T X
G E W W R N W H W T L I W D K
A S O Q E O E E T C R Y D N Q
C D K B S I F D E F T U O E U
I E K X Z A G W R P U W S K P
O R F H ϼ Q G W I Z I L W E V
U I Y W K G N E T H W N I T S
S C O J H W Q Z G V A G G L J
```

ABSTRUSE
COMPLETE
DEEP
ERUDITE
INCISIVE
INFORMED
KNOWING
LEARNED
SAGACIOUS
SAGE
SCHOLARLY
SERIOUS
SHREWD
SWEEPING
THOUGHTFUL
WEIGHTY
WISE

25. SHALLOW

CURSORY
FROTHY
PUERILE
SILLY
SKETCHY
SURFACE
TRIVIAL

```
R Y R I C P Q K E H P
O R L D J H L X G F N
M O J L E C A F R U S
L S D F I R W O C K B
A R M T V S T S E P T
J U F R M H N T M U L
D C A I V V C W T E Z
X O T V V H M P N R M
T T M I V C V A E I G
Q Q B A T T J U I L K
H Z H L J A T G R E E
```

26. NEVER ENDING

CEASELESS
CONSTANT
CONTINUAL
CONTINUOUS
ENDLESS
ENDURING

ETERNAL
EVERLASTING
IMMORTAL
INCESSANT
INFINITE
INTERMINABLE

PERENNIAL
PERMANENT
PERPETUAL
REPETITIOUS
UNENDING
UNFAILING

```
W P D O I S K A S I I S Z H E M C S S Q
Z K P D P N E A M A V B S Y O L E S C D
X I I M E G C M M P A I I E R S E V W D
D B H R Y Q O E E U S B G W L L C O U Z
N T I T M R U R S N A N I M D E Y Z V T
P P C N T G P N G S I G D N U N S R G N
C D S A T E I F F T A N E N W K F A W C
E O L U T E H W S A T N E D F C R S E W
N W N U O Y R A V Z I N T L X O T C V C
D S A S R I L M N B D L Z A M N N O F E
U L R U T R T Z I I N E I I F T E N C C
R S S X E A W I N N T J O N G I N T O Y
I Y X V T Q N G T E A Q J N G N A I A I
N U E L A G K T R E L B I E C U M N D K
G Y M V Y D V N C K P E L R K A R U E I
I A Q D H K A P G V B E J E S L E O J Q
U R P B V L M V Y P R J R P E V P U D I
O T Z E T I N I F N I J Z B I D L S C W
```

27. COMPOUND

AGRAVATE
ALLOY
AMALGAM
AUGMENT
BLEND
COMBINATION
COMBINE
COMPLEX
COMPLICATE
COMPLICATED
COMPOSITE

CONCOCT
CONCOCTION
FUSE
FUSION
JUMBLE
INCREASE
INTENSIFY
MAKE UP
MANIFOLD

MEDLEY
MINGLE
MINDLED
MISCELLANEOUS
MISCELLANY
MIX
MIXTURE
MULTIPLE
PREPARE
VARIEGATED
WORSEN

```
O E S A E R C N I G K C S R N X A B K N
I E L B M U J O B M X C U Q Y O J J E Q
O E R U T X I M M C U A O M V H I S U T
E T A V A R G A R P O L W M P B R S D T
D E T A G E I R A V L M T V B O L F U Z
A W S N F E V E C O G I P I W I S E G F
L G I U O F J S N Q C C C L P I N I N Y
L I N N O I Y U D N W E O A I L Q E T D
O P T S T E T F U Y O Y T M T C E O V E
Y S E J K C N C S P N I A N P E A D Y W
S M N O W W O A O A R M T L E L I T J W
G L S D V F P C L C A E B A O M E E E I
M U I E P I K L N L N P P O N V G X K D
I C F L I D E L G O E O U A N I S U Q P
N N Y D N C V A N N C C C E R V B F A G
G G S N S P M R P O F B S F K E V W H E
L U I I D L O F I N A M O I Q A V D O B
E I M M Y E L D E M X I M F M S M R A C
```

173

28. HOLIDAY LUGGAGE

Solve these 12 anagrams to
produce another item.

1. LASS GUNS E.S.
2. ALDNASS.
3. DOLL HAL.
4. LETOW.
5. THRISTS. (1-6)
6. CAM.
7. ROLL UP V.E
8. THROSS.
9. WIST I SUM.
10. GASH WIN TIK (7-3)
11. YOMEN.
12. MAPS "A", "J", "Y".

1 SUNGLASSES
2 SANDALS
3 HOLDALL
4 TOWEL
5 TSHIRTS   HOTSRS
6 MAC
7 PULLOVER   THRTJSS
8 SHORTS   LPRELVOU
9 SWIMSUIT
10 WASHINGKIT
11 MONEY
12 PYJAMAS   MISUWSIT
JSMAPAY

29. WORD CHAINS

Changing only one
letter at a time can
you change the first
word to the second?

MARK
MIRK
MIRE
MIME
TIME

COOK

MEAL

REAL

COIN

30. FAST

T	S	Z	S	C	W	S	D	M	N	C	U	G	T	R
S	N	U	U	T	L	G	T	O	K	N	N	N	O	F
C	T	U	N	T	A	O	J	E	M	D	E	U	I	O
Y	C	E	W	N	E	I	S	D	A	N	V	R	C	N
V	G	Z	A	D	G	N	M	E	A	D	M	F	Z	Y
L	K	L	V	D	G	R	A	M	H	W	F	J	R	S
H	W	A	E	M	Y	D	R	C	O	D	L	A	N	J
G	H	Y	R	H	J	E	N	U	I	V	N	Z	S	V
M	D	O	I	D	P	U	V	G	D	O	A	G	X	T
W	X	L	N	Z	A	I	O	M	I	O	U	B	D	K
F	T	O	G	T	H	B	O	T	L	P	L	S	L	P
G	I	I	S	E	I	R	A	R	X	G	J	C	X	E
S	A	X	G	F	G	T	A	L	E	R	U	C	E	S
E	R	I	E	H	S	R	H	I	F	E	K	N	S	C
B	I	U	L	D	T	T	N	A	T	S	N	O	C	F

CLOSE
CONSTANT
FIRM
FIXED
IMMOVABLE
LOYAL
PERMANENT
SECURE
STATIONARY
STAUNCH
STEADFAST
STEADY
TENACIOUS
TIGHT
UNWAVERING

31. FAST AGAIN

DEFT
FLEET
HASTY
INSTANT
PRESTO
QUICK
RAPID
SPEEDY
SWIFT

Q	I	P	T	T	R	T	K	W	L	H
C	R	N	K	O	T	S	E	R	P	K
Q	Y	A	S	O	U	O	Q	Z	E	S
E	X	E	P	T	B	T	W	I	F	F
U	J	Y	A	I	A	B	X	L	D	P
Q	H	D	L	Y	D	N	E	J	E	E
U	A	E	T	Y	M	E	T	W	F	Q
I	S	E	N	F	T	R	O	D	V	B
C	T	P	F	J	I	A	B	P	Y	B
K	Y	S	O	X	X	W	C	P	Z	O
L	T	F	E	D	V	L	S	D	P	G

32. SHELTER

ASYLUM
COMFORT
CONCEALMENT
CONSERVATION
COVER
CUSTODY
DEN
HARBOUR
HERMITAGE
HIDE-OUT
HIDEAWAY

HIDING
HOLE
HOME
HOUSE
HOUSING
IMMUNITY
LAIR
PRESERVE
PRIVACY
PROTECT
PROTECTION

REFUGE
RETREAT
ROOF
SAFEKEEPING
SAFETY
SANCTION
SECLUSION
SECURITY
SHIELD
STRONGHOLD
WARMTH

```
I P M X R K X Y A W A E D I H H N I Q F
Y O Q O Y L C C O F Z H H A P G T E Y U
D R O N O I T A V R E S N O C Y G Z Z E
O F U F A N R E V O C P C Y T U N H E G
T F W C Q O U K I N W O R C F O J H L A
S W M A Y I T R B I M A E E I G A O O T
U M U L Y S A I H F X T R T S F H U H I
C S D P D U E G O C O H C M K E B S Z M
G A L R B L R R N R O E N I T T R E U R
N F O I D C T R P I T N Y O K H G V V E
I E H V L E E I M O S H C T I N Z W E H
D K G A E S R E R E N U I E E T B W K E
I E N C I L K P C X T E O D A F C A R M
H E O Y W E I U L F Q P D H E L A N I O
W P R E S Z R Y T I N U M M I O M S A H
H I T O W I D V L O V Q O A H X U E L S
B N S W T V Q Z U I H N R F H X R T N S
Y G F Y H G R U O B R A H G V F L M V T
```

33. FLAVOUR

ASPECT
ATTRIBUTE
BRAND
CAST
CHARACTERISTIC
COLOUR
EARMARK
ESSENCE
EXTRACT
FEATURE
FLAVOURING

IMBUE
INFUSE
LACING
LEAVEN
NATURE
PROPERTY
QUALITY
SALT
SAVOUR
SEASON

SEASONING
SMACK
SPICE
SPIRIT
STAMP
TANG
TASTE
TINCTURE
TINGE
TRAIT
TYPE

```
V C D Z Z L K E N E V A E L U V E S E D
O C A A D W I E T A J S M Z E S T M C N
G R H S H W C M S S A P E U X P U A I A
T N Z A T Y U K A S I S Q E T I B C P R
A L I O R W E V O T E F P I R R I K S B
P C G N Z A O U A F L N I E A I R F J X
R R Z A O U C N B A T T C T C T T Z X E
E U O S R S G T V M I S T E T T T H E A
R O G P N F A O E N I L P H U W A R H R
U L W U E O U E G R I S M G N S U F B M
T O D H T R S E S J I Z X K N T I X N A
C C F I I H T A N E M S P V A I G B L R
N W A N X Y S Y E A Z F T E M O C I A K
I R G Z Z A D U M S T S F I C R T A J O
T Y T I L A U Q P M T U X H C Y A T L L
Z Q S T K D O I G A S Q R M D S S E Y I
E S U F N I V M M A V H J E V Z T M M K
K N Z Z S W C P C J V M F H H B E P Y T
```

34. ANOTHER CONCERN

AFFAIR
AFFECT
ANXIETY
APPREHENSION
ATTENTION
BEAR ON
BOTHER
BUSINESS
COMPANY
CONSIDERATION
DISCONCERT

DISQUIET
DISTRESS
ESTABLISHMENT
FIRM
HOUSE
IMPLICATE
INFLUENCE
INTEREST
INVOLVE
MATTER

MISSION
OCCUPATION
PERTAIN TO
PUT OUT
REFERENCE
REGARD
RELATION
SOLICITUDE
TROUBLE
VEX
WORRY

```
Y N A P M O C G A Z E U O F N D I H B W
O N O I S N E H E R P P A H Q I E G E O
N O I T N E T T A P I E J O Z S O G A R
V V O Q D N F N E E L W A U Q Q Z Q R R
S E A C J Z K R O B T U R S X U T O O Y
S T X E B K T R U I Q A E E Z I W C N I
E L N P C A U O E E T D C Q Z E Q C D R
N T L E I N R D E H U A O I I T W U W S
I V S N M T E V I T T R R I L I D P O M
S A T S F H L U I S E O N E M P N A B I
U O F P U O S C L F C T B A D O M T H S
B D F F V R I I E F E O T M I I T I K S
O E U N E L L R L R N T N T R U S O W I
M K I G O C E H E B E I A C O I O N D O
X Z A S F N T S D R A L S T E U F F O N
M R R E C D T F Z O E T U U W R I Z K C
D Y T E I X N A B R M P S M T P T O Y H
U A R I A F F A S Y Y S S E R T S I D S
```

Word List

AFFAIR
ASSIGNMENT
CALLING
CAPACITY
CAREER
COMMERCE
COMMISSION
COMPANY
CONCERN
DEPARTMENT
DUTY
EMPLOYMENT
ENTERPRISE
ESTABLISHMENT
FIELD
FIRM
FUNCTION
INDUSTRY
INTEREST
JOB
LINE
MANUFACTURING
MARKETING
MERCHANDISING
MISSION
OCCUPATION
OFFICE
ORGANIZATION
POLICY
POSITION
PRACTICE
PROFESSION
PROVINCE
PURSUIT
ROLE
SITUATION
SPECIALTY
SPHERE
STATION
TRADE
VOCATION
WORK

Puzzle Grid

```
C V E T U Y R T S U D N I E
P A F D N R I A F F A P U T
U G R C A E F S S B R S N G
R U N E O R M W P O I E A O
S T G I E M T N V H M Q F S
U F Y N R R M I G H E U P N
I K R O W U N I S I N R R C
T O J G C C T I S C S E E O
J L R U E R L C T S C S F M
N O D G D B N I A N I F A P
R C B L A O O C O F I O N A
C O E T I N O C Y R U O N N
U I S S S M I T M O I N I Y
F E S G M P I Z C T O V A V
S I P E J C E C A I G C J M
M I R H A M U C T T N S P I
Y C T P M P O I I K I O Z T
E T A U A V S F H A L O G N
R C U T A O R A F I L S N E
C K I D P T D Q C I A T P M
M O C K F U I Y T A C B Y Y
N O I S S E F O R P H E D O
T S E R E T N I N E L O R L
F V H T N E M T R A P E D P
D G N I S I D N A H C R E M
Y E S I R P R E T N E I W E
E N I L E C I T C A R P A Q
Q G N I T E K R A M X B G Q
O U I G N O I T A T S I F L
```

36. PLACE

ABODE
ALLEY
APPOINT
AREA
ASSIGN
CHAMBER
COURT
CRESCENT
DEPOSIT
DWELLING
ESTABLISH

FUNCTION
LANE
LOCALITY
LOCATION
LOCUS
MALL
OFFICE
PLAZA
POINT
POSE
POSITION

QUARTERS
RANK
REGION
RESIDENCE
ROOM
SEAT
SECTION
SITUATE
SPOT
SQUARE
STATION

```
T H B F T J R O D T M N K C S I T G U P
A E R A G Y E T S D O F O I B N B C G O
X O F N Y X S W S I O Q T I I V O Y R Z
O F C X E H I B T U N U R O T U U E E R
Q F C J L J D C A S A A P C R A B N O E
K I N Y L Q E K H T V R M T A M T O E A
V C K O A S N D E C F T P S A T M S Z T
E E O N I T C M Z W N E Q H Z M T A S N
Q S Z P G T E X D Q I R C M A A L P S E
Q Q O P L I A T X W V S V L B P O E P C
Q U L P D O S C A Z E D L L W T A N O S
Q A A K L R C S O B N L I U U T M O S E
K R N E R U T A A L P S L D H R X I I R
T E E T T S Q R L I H A I I A K H G T C
S N O I T C N U F I E B L U N R E E I P
D I T N I O P P A D T F B X P G V R O C
F A X I U W W M S K Y Q E D O B A N M
Y K N A R I T T I S O P E D S U C O L J
```

37. SO DEEP

ABSTRUSE
ACUTE
ARCANE
ARDENT
ARTFUL
CALCULATING
COMPLEX
COVERT
CRITICAL
DESIGNING
EARNEST

ESOTERIC
FERVENT
GRAVE
GREAT
HEARTFELT
HEARTY
INTENSE
MYSTERIOUS
MYSTIFYING
PENETRATING

PROFOUND
RECONDITE
SCHEMING
SEVERE
SHREWD
SINCERE
SUBTLE
TRICKY
UNFATHOMABLE
UNUSUAL
WARM

```
A J E T B S U O I R E T S Y M Y C S T V
E U T R I E E F K G N I Y F I T S Y M X
S G I E T S N U E R U E B Y E S T U Y S
U P D V S N W O G R L I Q G H G Z Q O U
R O N O E E H F R B V M S R O L N N C S
T S O C N T T K A G S E E U P H G A E X
S I C L R N C M V N E W N L L L L V E Z
B N E U A I O L E I D K U T F C E L C D
A C R N E H E C E T D F W I U R P R N T
C E W T T L I D T A T S F L E M I U L N
U R A A T R W E X R H H A D O T O E W E
T E F B E O M S A T C T W C I F F A L D
E N U T H F Y I T E I D J C O T R A I R
U S O F E T K G O N G N A R R M U D Y A
O S K C A A C N G E E L P A W S S W X W
E X G B R E I I B P N O E O U E A D P U
I K J L T R R N R P T H G N I M E H C S
Y Z I O Y G T G L U J J U E N A C R A K
```

38. COMMOTION

```
C N J D R F L A V A E H P U R
F E O N O I S L U V N O C F T
E Y C I M D F R L O T O T T J
R A H N S W V L I B Q Y L X D
M F E R A E Y T U T T T U D P
E U W X R B A O R R O B M O I
N S E R C T R X E A R F U D A
T S P V I I O U B G O Y T U Z
Q I Z G F T T I T E N R O K P
M W A L D U B E L S O T P T K
B X W P S L G T M B I U W U X
G R I T Z Z S Z A E Y D I T C
H J I Q M U P W F C N O D A R
N R N S B O E A P M F T B R M
A E I W B N O I S U F N O C N
```

ADO
AGITATION
BUSTLE
CONFUSION
CONVULSION
DISTURBANCE
EXCITEMENT
FERMENT
FLURRY
FUSS
NOISE
STIR
TUMULT
UPHEAVAL
UPROAR

39. CALM

COOL
EQUABLE
RELAXED
SEDATE
SERENE
SMOOTH
STAID
STILL
UNSHAKEN

```
V Q Q H Y S Q C M Y J
G F S W T J T X D K R
V T E E Q O P A Y H C
E D R D R N O V I U B
Q M E J T K P M N D R
U Y N F P W M S S E E
A W E Q Q G H L Q T L
B Q C C Z A C L R A A
L K H A K O L I V Q X
E J G E O K Z T F E E
R Q N L B X M S S S D
```

182

40. WHERE IS IT?

Place 6 letter answer to first part of each clue in column B. The answer to the 2nd part of the clue will be an anagram using just 5 of the letters from column B. The answer goes in column C and the spare letter in column A.

The third part of the clue is an anagram of 4 of the letters from column C – the answer goes into column D and the spare letter into column E. When complete, columns A and E will spell out where it is.

1. Gentlemen's gentlemen. Helot. An exchange for money.
2. Allotted. Peruses. Communists.
3. Royal home. Location. Ness.
4. Flour grinder. Moon valley. Annoy.
5. Trader. Marsh tree. Cooking fat.
6. Securely. With much foliage. Hopping insect.

	A	B (6 letters)	C (5 letters)	D (4 letters)	E
1	T	VALETS	SLAVE	SALE	V
2					
3					
4					
5					
6					

41. WORD CHAINS

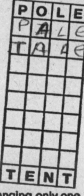

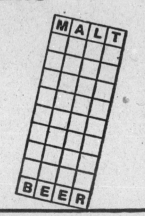

Changing only one letter at a time can you change the first word to the second?

183

42. ANSWER

CONFORM
CORRESPOND
ECHO
EXCHANGE
MEASURE UP
MEET
PASS
QUALIFY
REACT
REACTION
REBUTTAL

RECIPROCATION
REFLEX
REJOIN
REJOINDER
REPLY
REPRISAL
REQUITAL
RESPOND
RESPONSE
RETALIATION

RETORT
RETRIBUTION
RIPOSTE
SATISFY
SERVE
STAND UP
SUCCEED
SUFFICE
SUIT
WORK

```
V L A T I U Q E R K Q P Q D R I P Y T J
V H S O H C E N X J U L R U R E H J C L
G N Y P D R E O B E K L A E A R T F A Q
E N O I T U B I R T E R T T S L I O E M
E C I F F U S U M R L A S S T P I Z R K
C E I D Z K S E B A L G R J A U O F T T
O T B C E A E D S I G O E C I T B N Y W
N S X J E T Z I A D D R C C N T I E S B
F O W M W G R T R N N C I E G P D S R E
O P O O L P I E D O O J P E G K S E F C
R I R Z E O J F C P P P R D F A T G Q Y
M R K R N O C P W S S U O E P I K N U Z
R E D N I O J E R E E D C F F H G A Q W
C I L N S V H U J R R N A S C L M H S R
G Q O T K M T Z K R B A T C E T E C U E
S R O F D U A S X O V T I Q M R M X Q P
F N O I T C A E R C B S O L M M V E P L
W V H E U G Q W F L C I N L D J B E V Y
```

43. PYRAMID

CLUES

Across

2. Eat perhaps – and drink.
4. Join heads to bodies.
6. Colonnade.
8. Larry Adler made his chair moan (anag)

Down

1. Right-hand page of an open book
2. Trinity is one
3. Related
4. Neither
5. Single column inch (abbr.)
6. Father
7. Officer in charge (abbr.)

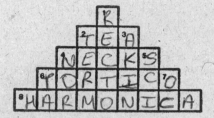

44. GUSTO

```
A  I  D  X  J  A  T  I  R  F  N  N  B  V  N
P  O  E  R  J  H  S  I  L  E  R  S  D  S  O
P  N  J  X  F  T  T  E  E  F  M  B  S  E  I
E  W  E  I  H  G  T  X  R  V  D  E  A  V  T
T  N  H  R  X  I  Y  A  R  N  N  O  P  D  A
I  R  J  V  U  R  L  W  S  T  U  Q  Q  E  I
T  D  E  O  X  S  A  A  S  T  J  D  W  L  C
E  W  U  O  Y  H  A  E  R  Z  E  W  X  I  E
T  U  M  Q  J  M  N  E  B  A  T  E  T  G  R
V  Z  C  V  T  R  E  R  L  K  T  K  V  H  P
I  E  Z  K  A  K  R  N  J  P  P  I  G  T  P
G  S  Z  E  C  F  M  C  T  J  Z  B  O  Q  A
O  T  M  S  A  I  S  U  H  T  N  E  A  N  Z
U  Z  N  F  K  F  Y  E  M  E  T  A  L  A  P
R  R  X  G  B  R  U  O  V  R  E  F  R  D  X
```

APPETITE
APPRECIATION
DELIGHT
EARNESTNESS
ENJOYMENT
ENTHUSIASM
EXHILARATION
FERVOUR
PALATE
PLEASURE
RELISH
TASTE
VIGOUR
ZEST

45. LOATHING

AVERSION
DISGUST
DISLIKE
ENMITY
HORROR
SCORN

```
U  L  R  D  Z  D  S  J  E  G  Q
V  I  W  S  I  F  D  T  M  Y  J
B  C  B  Y  B  S  A  J  I  N  S
K  F  Z  A  T  P  L  L  O  K  S
T  S  U  G  S  I  D  I  N  G  Q
Y  T  I  M  N  E  S  R  K  B  M
O  I  N  O  F  R  O  B  G  E  I
F  U  T  L  E  C  W  K  H  K  B
O  R  G  V  S  O  V  X  B  B  X
P  D  A  E  V  S  Y  V  G  D  M
P  P  T  N  R  O  R  R  O  H  W
```

46a. THE BOOK

Answer the clues and, reading downwards, the first column will give you the title of a book and its author.

A. By way of.
B. Sirens.
C. Fairness.
D. Putting forward.
E. Get, acquire.
F. Ordinal number.
G. Everlasting.
H. Gave in.
J. Shop feature.
K. Showing enmity.
L. Warned.
M. Inborn.
N. Joined to another.
P. Likeness of a person.
Q. Holds back.
R. Follows closely.

S. Attract.
T. More-weighty.
U. Emerge from sleep.
V. Towards the centre.
W. Making cattle sound.
X. Provides funds for.
Y. Young men.

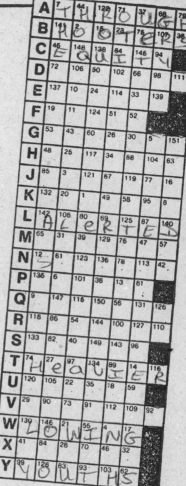

A	T⁷ H⁴⁴ R¹²⁸ O⁸⁰ U³⁷ G⁶⁸ H⁷⁹						
B	H¹⁴ O² O¹⁵ T²³ E⁷⁵ R¹⁰⁷ S³⁶						
C	E⁴⁵ Q¹⁴⁸ U¹³⁸ I⁸⁴ T¹⁴⁶ Y⁹⁴						
D	72	106	50	102	66	98	111
E	137	10	24	114	33	139	
F	19	11	124	51	52		
G	53	43	60	26	30	5	151
H	48	25	117	34	88	104	63
J	85	3	121	67	119	77	16
K	132	20	1	49	58	95	8
L	A¹⁴² L¹⁰⁸ E⁸⁰ R⁶⁹ T¹²⁵ E⁸⁷ D¹⁴⁰						
M	65	31	39	129	76	47	57
N	12	61	123	136	78	113	42
P	136	6	101	38	13	81	
Q	9	147	115	150	56	131	126
R	118	86	54	144	100	127	110
S	133	82	40	149	143	96	
T	H⁷⁴ E²⁷ A⁹⁷ V³⁴ I⁸⁹ E¹⁴ R¹¹⁶						
U	120	105	22	35	78	59	
V	29	90	73	91	112	109	92
W	L¹³⁰ O¹⁴⁶ W¹² I⁵⁵ N⁴ G¹⁷						
X	41	84	28	70	46	32	
Y	Y⁹⁹ O¹²⁸ U⁸³ T⁹³ H¹⁰³ S⁶²						

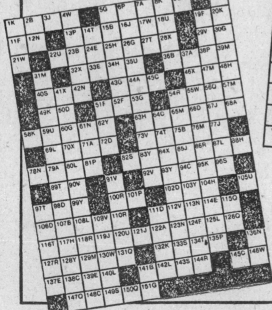

46b. THE QUOTATION

Find the quotation by using the letters from the completed answer above.

47. PEOPLE

BREED
CITIZENS
CLAN
COLONIZE
COMMONWEALTH
COMMUNITY
COMPATRIOTS
COUNTRYMEN
CULTURE
DWELLERS
ELECTORATE

ESTABLISH
FAMILY
FOLKS
FOUND
HOUSE
HUMANITY
INDIVIDUALS
INHABITANTS
LINEAGE
LOCATE
MANKIND

MASSES
NATIONALS
NATIVES
PERSONS
POPULATE
PUBLIC
RACE
SETTLE
SOCIETY
STOCK
TRIBE

```
I O N D H E H E H H R B D J D Y K Q E U
D F L B P M B V L F S E G O N L C E R C
W J L T Y G I I P E Z I V P I I S G U J
E P S B D I W X R Z C S L C K M Z A B P
S N E Z I T I C T T O T H B N A G E Y W
S T N A T I B A H N I T Q J A F F N T M
P B E L J C Q E O N L H X R M T C I I N
C Q R G I B O B Z A A K V N A O S L N A
Y O I E T N S U E I C T A F M T G E A T
T E M F E E D W N O N L I M A S E P M I
E P A P S D N I T T C O U V P F R D U O
I P O S A O V S V P R N L U E S U W H N
C L A P M T E E E I I Y B O K S T E N A
O M O M U S R R L T D L M L C R L L F L
S G O C U L S I Y T I U O E A M U L O S
D C J O A O A V O C T F A C N C C E U W
W O H K N T R T R T H E E L I G I R N A
K G Z S F N E S E D S B S Y S C E S D M
```

48. JUMBLIES

To find the answer rearrange the letters of each
clue, e.g. TEST A C.I.D. APE = DECAPITATES

Clues Across
1. TEST A C.I.D. APE.
7. LIME.
8. CANE T.
10. TIP.
11. COT XI.
12. TORT.
14. LET PA.
16. NOW.
18. USE.
19. PINES.
20. APE.
23. WEN.
24. TIE V.C.
26. S.A.S.
28. A R.N.
29. PEALS.
31. MR. HA.
32. LOSS "G"
34. AMP.
35. OUR DO.
36. LOAF.
37. TURN PEA ONCE.

Clues Down
1. STEM PRIDE.
2. INANE.
3. LATE T.T.
4. TIME.
5. 'TIS.
6. NET.
8. AXLE PIN.
9. CATS.
10. STOP.
13. ONCE.
15. KUA.
16. SIN WORD.
17. SWEET CLAN.
21. NAVE.
22. SUE.
25. PART.
28. TO ALMS.
27. GAS "O"
30. "P" PLUM
31. O, HAL.
33. FAT.
34. A M.C.

49. WITHIN THE TROPICS

ANGOLA
BANGKOK
BOMBAY
BRASILIA
CAMBODIA
CAROLINE IS.
COLOMBO
DAR ES SALAAM
HAWAII
HONOLULU
HYDERABAD

JAKARTA
JAVA
LEEWARD IS.
LIMA
MADRAS
MALAYSIA
MANILA
MARQUESAS
MARSHALL IS.
MEXICO CITY
NEW GUINEA

NIGERIA
RECIFE
SALVADOR
SOCIETY IS.
SOLOMON IS.
TAHITI
TAKAPOTO
WAKE I.
ZAIRE
ZIMBABWE

```
V A M I L S H R D Q T A I L I S A R B K
B A A W X O I F F A G A D R G V D D F U
E T E H I T K L S Z R A K X E Y T U R A
R R N A Y C J J L O B E I A J C D W I I
I A I W A V A T E A L J S W P S I P O D
A K U A B H A R R F H O B S I O U F G O
Z A G I M X Y E O B T S M D A U T G E B
E J W I O Q D U A L W A R O M L C O B M
S Q E R B Y D N U Y I A H A N U A N A A
D I N V H C G S T L W N R I M I I A Z C
C M Y S S K N I A E U Q E A T G S I M A
O M A T O O C T E L U L L I E I M A M I
L G J K E O E L E E V T O R S B S N A S
O D T S C I R R S D W A I N A I A G N Y
M N N I Z E C A Y U A A D B O O R O I A
B E X I L N S O A M K F W O Z H D L L L
O E W H R F E B S R E E H U R Z A A A A
M O Z E M D A V A J I L I Q P L M V R M
```

50. GIVE ANOTHER RING

BAND
BELT
BORDER
BUNCH
CABAL
CELL
CINCTURE
CIRCLE
CIRCUMFERENCE
CLIQUE
CLUB
COLLAR

CORDON
COTERIE
CREW
DISK
ENCIRCLE
ENCOMPASS
GANG
GIRDLE
GROUP
HALO
HOOP

JUNTA
KNOT
LOOP
ORB
OUTFIT
OVAL
PACK
PERIMETER
RIM
SURROUND
TROUPE
WREATHE

```
B M P O O H E U A H Q C I A M F D H X C
L M F W D Ń I I T I L G H T D D I M U E
D M B R C Q R Q D E C A R O L A H V P L
N T O E J B E Q Q R V O V Z D F P I J L
P C R A V G T S E Q U O N O Y D E G U T
Z I D T Q M O W S P H W D D C R R N L
V N E H X C C T E A H V K I I N I O T E
I C R E Y I M P E C P C T R R D M U A B
A T L M J D P T N E A M C F I I E P G B
Q U O L S I N U J P L U O C H S T P V R
L R Z N O E B U Y X M D L C K K E D R T
R E N R K O K E O F N I R P N O R O I V
H C N I S N P D E R Q O I I B E M F B V
C O V G G N L R U U R S D R G B T F U D
U L Y N H I E A E X I V O R R U P R L I
S L X A S N I G B T G A S A O O C V C D
K A T G C D G S X A E L C R I C N E J B
B R L E M E L C R I C D N A B G G M J M
```

1. ORIENTAL RUGS

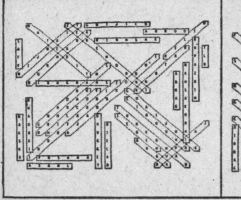

2. DIRECT

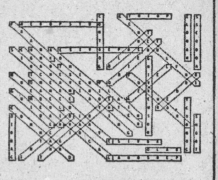

3. GAUNT

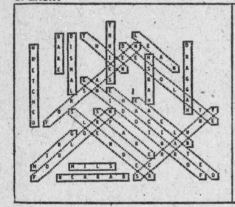

4. OBESE

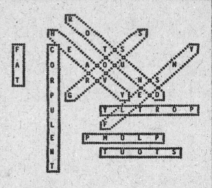

5. ROLL

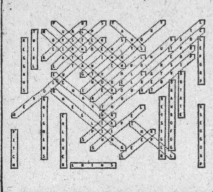

6. CROSS JIG

```
I N D O O R S   D I C T A T E
N   O   N   E     E   O L X
S U M P S   R E S T R A I N T
I   I   E V S   P   B     R
P E N E T R A T E   O L I V E
I   A     N   R   R       M
D E T R A C T     T R A M P L E
    E   G           L O
D E S I G N S   D E S I R E D
E     R   E I     R       A
C A D G E   S O V E R E I G N
I     O G S I   E   N     G
D E V I A T I O N   A N G E L
E     E   T O E L E E
D I S C E R N   R E M A R K S
```

192

8. PROGRESS

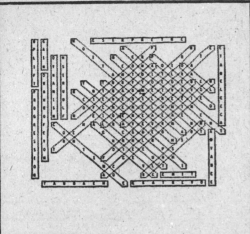

7. FIGURE IT OUT

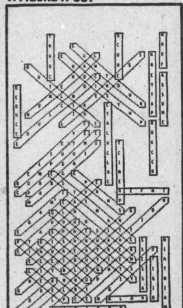

12. THIS IS THE END

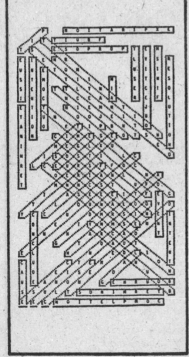

10. FIRE

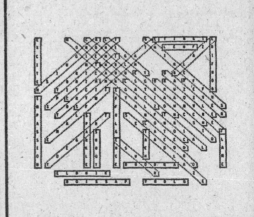

9. EASILY NOTICED

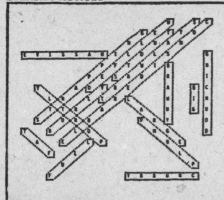

1. Big
2. Bouncing
3. Brawny
4. Burly
5. Chubby
6. Considerable
7. Fat
8. Full
9. Large
10. Massive
11. Plump
12. Portly
13. Stalwart
14. Stout
15. Strapping
16. Well-fed

11. ROMANTIC

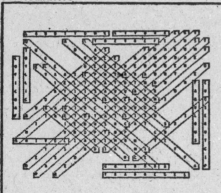

13. TOURISTS' ROUNDABOUT

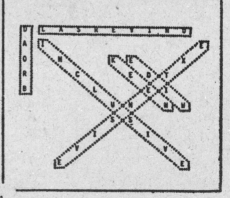

```
C H E R R Y E S E C
Y A R N O T E N A U
A P E D E V E N M R
D M T R E E T E E E
R I S R N E I W L L
E N B U R A C E E G
T I L B M U R A G A
S M U B I R E V L R
E R E T I X E V O E
Y R R A T S A O T N
```

14. EXCLUSIVE

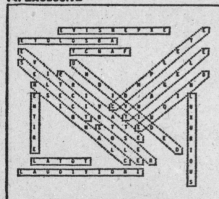

15. COMPREHENSIVE

194

16. AN INTERVAL

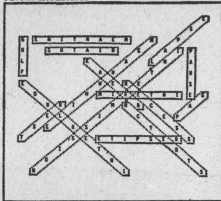

17. NO BREAK

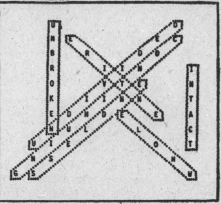

18. STORM

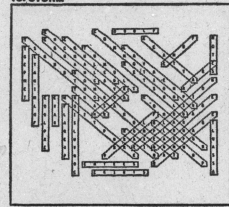

19. WALK FREE

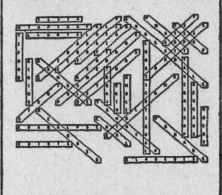

20. CROSS REFERENCE

```
    S   WIDOWER   H
KIWI   Q  I  AVER
    Z  CONDEMN   A
PECK   O   L  GARB
L   O  ERODE   Q  U
ANNEX   F  GRUBS
Q   J  INFER   A   T
USUAL   A  EXTRA
E   R  ECLAT   I   R
SLED   O   L  ACID
    I  EXCLAIM   B
CLEF   K  R  OMIT
    Y  YASHMAK   S
```

```
 1  2  3  4  5  6  7  8  9 10 11 12 13
 G  Z  K  E  U  M  Q  B  X  P  D  I  V
14 15 16 17 18 19 20 21 22 23 24 25 26
 R  L  A  T  F  V  C  N  H  S  O  J  W
```

21. CONSIDERATION

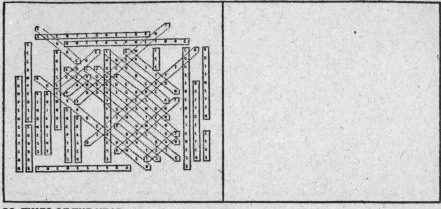

22. TIMES OF THE YEAR

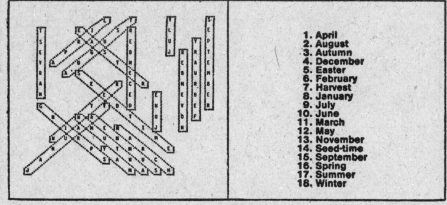

1. April
2. August
3. Autumn
4. December
5. Easter
6. February
7. Harvest
8. January
9. July
10. June
11. March
12. May
13. November
14. Seed-time
15. September
16. Spring
17. Summer
18. Winter

24. PROFOUND

25. SHALLOW

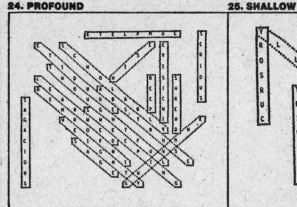

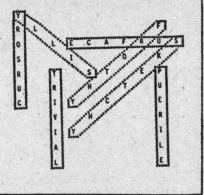

26. NEVER ENDING

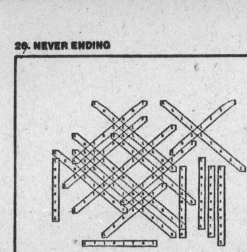

35. BUSINESS

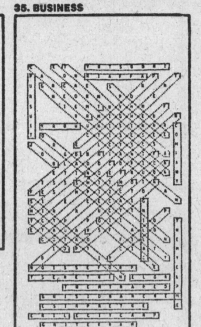

23. SHIELD

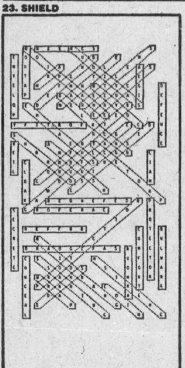

27. COMPOUND

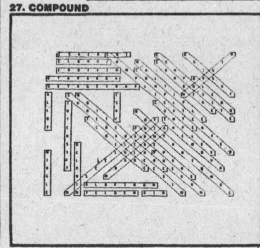

28. HOLIDAY LUGGAGE

```
              S U N G L A S S E S
          S A  N D A L S
        H O L  D A L L
        T O W  E L
      T S H I  R T S
          M A  C
        P U L  L O V E R
          S H  O R T S
  S W I M S U I T
          W A S H I N G K I T
          M O N E Y
    P Y J A M A S
```

29. WORD CHAINS

```
          C O O K    R E A L
          C O R K    S E A L
  M A R K  C O R E    S E L L
  P A R K  C U R E    C E L L
  P A R E  C U R L    C E L T
  T A R E  C U L L    C U L T
  T I R E  C E L L    C U R T
  T I M E  S E L L    C U R E
          S E A L    C O R E
          M E A L    C O R N
                    C O I N
```

30. FAST

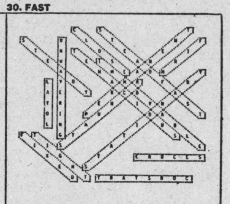

31. FAST AGAIN

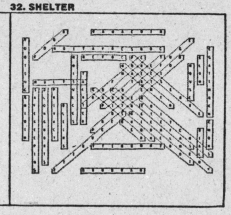

32. SHELTER

198

33. FLAVOUR

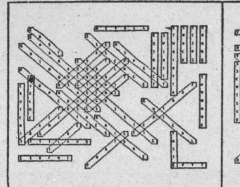

34. ANOTHER CONCERN

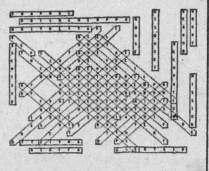

36. PLACE

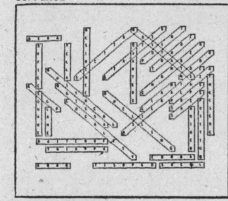

37. SO DEEP

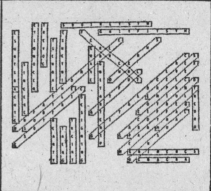

38. COMMOTION

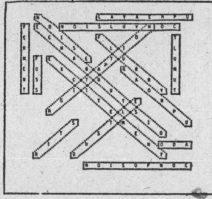

39. CALM

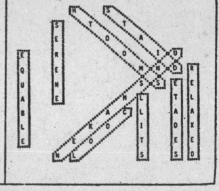

40. WHERE IS IT?

1.	T	Valets	Slave	Sale	V
2.	H	Shared	Reads	Reds	A
3.	A	Palace	Place	Cape	L
4.	M	Miller	Rille	Rile	L
5.	E	Dealer	Alder	Lard	E
6.	S	Safely	Leafy	Flea	Y

41. WORD CHAINS

```
SALE   POLE   MALT
SOLE   BOLE   MALL
SORE   BALE   BALL
FORE   BALL   BELL
FORM   CALL   DELL
FOAM   CULL   DEAL
LOAM   CULT   DEAN
LOOM   CELT   BEAN
ROOM   CENT   BEEN
       TENT   BEER
```

42. ANSWER

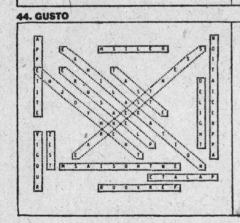

43. PYRAMID

```
        R
       TEA
      NECKS
    PORTICO
  HARMONICA
```

44. GUSTO

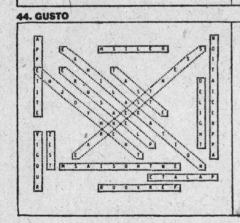

45. LOATHING

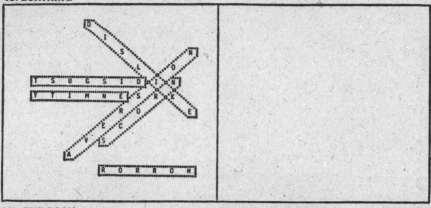

46a. THE BOOK

A. THROUGH
B. HOOTERS
C. EQUITY
D. MOOTING
E. OBTAIN
F. NINTH
G. ETERNAL
H. YIELDED
J. COUNTER
K. HOSTILE
L. ALERTED
M. NATURAL
N. GRAFTED
P. EFFIGY
Q. RETARDS
R. SHADOWS
S. ALLURE
T. HEAVIER
U. AWAKEN
V. INWARDS
W. LOWING
X. ENDOWS
Y. YOUTHS

46b. THE QUOTATION

'Soon after big George, now attired in a silk suit, led the way to the airliner's dining room where they lunched in a style any of the world's great restaurants would have found hard to equal.

47. PEOPLE

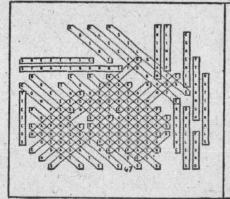

48. JUMBLIES

```
D E C A P I T A T E S   T
I     N     A     M I L E
S E N A C T   P I T     N
T O X I C   T R O T   C
E   P E T A L   T   W O N
M   L   S U E   S P I N E
P E A       K   U     N E W
E V I C T   A S S   D   C
R A N   R   L E A P S   A
    N   H A R M   G L O S S
A   M A P   O D O U R   T
F O A L     S   M     L
T   C O U N T E R P A N E
```

201

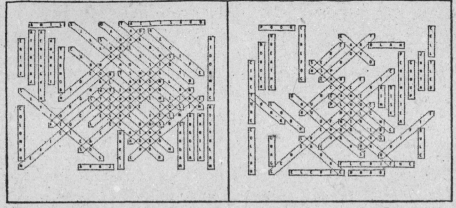

WORD FIT

Answers to this section on pages

253 – 264

1. GO TO BED

BASE
BASSINET
BEDSTEAD
BERTH
BLANKET
BOLSTER
BUNK
CAMP BED
CASTORS
COT
CRADLE
DIVAN

DRAWER DIVAN
DUVET
EIDERDOWN
FIRM EDGE
FIRMNESS
FOOT
FOUR POSTER
HAMMOCK
HEAD
HEADBOARD
MATTRESS

ORTHOPAEDIC
PALLET
PALLIASSE
PILLOW
PILLOWCASE
PLATFORM
SHEET
SPRINGS
SPRUNG
STRETCHER
SUPPORT
TESTER

YAWN!

```
R A S P R E H C T E R T S V B D N H W T
I E F R G V C A S F N O Z K L P Y A G E
X T T I O S F R R P R B N J A P G M V S
R N E S R T T O O F R U P U N A T M Z T
E U S E L M S B R G B U D M K L P O D E
T I A C H O E A A S Z T N H E L O C W R
S H C N L S B D C S C H E G T I V K L X
O T W B A P S T G I S A E F V A G L M S
P P O T P V E D D E D I F A O S M M E L
R Y L O B V I E A B D S N S D S A R L H
U V L C U W A D O E T H S E S E T O D T
O U I D O P W A R R T P T S T C T F A R
F O P L O X R D O E R S E Q A Z R T R E
T X L H B D O P M I W N D M H U E A C B
D I T A J W P F N Z M A P E L B S L P G
P R S Y N U R G F R T B R N B R S P Q C
O E T I S P S C I A E J U D N C Y O Y P
Z T E L L A P F L D S G L O N A V I D X
```

2. HEALTH-GIVING

ADVANTAGEOUS
BENEFICIAL
BRACING
CLEAN
COMPENSATORY
CORRECTIVE
DIGESTIBLE
DISEASE-FREE
ENERGY-GIVING
FAVOURABLE
FRESH
GOOD FOR ONE
HARMLESS
HEALING
HYGIENIC

INNOCUOUS
INVIGORATING
NUTRITIOUS
PREVENTATIVE
PURE
REMEDIAL
RESTORATIVE
SALUBRIOUS
SALUTARY
SEDATIVE
STIMULATING
SUBSTANTIAL
SUSTAINING
TONIC
WHOLESOME

```
P E T T Z B E D L A I T N A T S B U S D
I V C I N E I G Y H S G E S E N K J J S
B I N N H S E R F H X N E T T R P G E E
F T E E R F E S A E S I D I G H U G N D
L A I D E M E R Z U E E Y M N C Y P E A
A T B A F T M K S N V R A U E G C I R T
G N U R P L Y A O I O I D L L S W N G I
N E K W E L L R T T N N V A B A H N Y V
I V N S F U O A A V F A A T I L O O G E
N E S Z T F R S I A R E N I T U L C I V
I R E A D O N G V C Z L T N S B E U V I
A P R O T E O O Y R I C A G E R S O I T
T Y O S P R U G C K B F G T G I O U N C
S G E M A R E C I N O T E Y I O M S G E
U R O T A Z R H C K U O O N D U E F Y R
S C I B S U O I T I R T U N E S J V F R
V N L N U G N I C A R B S D H B A O X O
G E E H J G N I L A E H R Z Q B C B R C
```

206

```
Q N T J X E S E Z W J I T B Q T I M R R
R E D D U M S W O E R M O W O U R O O E
E T A R Y G L B I W L R E P I O L S T V
B N E E Q S B R F N H G P T C S H O A I
Q R G V O L E D E T G L G K A A T K T U
V B D C E V M T E E O T O K R S E E Q
H F U V L O A P C Q X Z W E B E B V X T
C K N O V L M I N R V R A Q H X O I A E
Y I V E U C B T A E A E V H M C F D V E
Y E X D T C C J L T C V E Z P V O V G T
R D N I W N U N A L I I R X S N P C R E
S U M S T D O L B A L M H K T E S P U I R
T T G D D R Z E N F L S A D A G P L J R
S Y D E K N E W U D A B D N U O B E R X
C R R R N F D M B M T A M S Z S P B J H
K N D E O E G D B R E V A U Q D P T J D
O E J P C C F L Z L I O E I T R L I M K
Q P K X K L Z O K M E E K A U Q V A N F
```

3. MOVEMENT

BOGGLE
FALTER
GYRATE
JUDDER
KNOCK
MOVE
NOD
NUDGE
QUAKE
QUAVER
QUIVER
REBOUND

REVOLVE
RICOCHET
ROCK
ROTATE
SHAKE
SHIVER
SHUDDER
SPIN
SWING
TEETER
THROB

TOPPLE
TREMBLE
TWIST
TWITCH
UNBALANCE
UNDULATE
UPSET
VACILLATE
VIBRATE
WAVER
WOBBLE

4. FRENCH GENERALS

ANTHOINE
BIGEARD
BIRON
BOUFFLERS
BOULANGER
CAMBRONNE
CARNOT
CASTELNAU
CHANZY
DE GAULLE
DESAIX
DUMOURIEZ
ELBEE
FAIDHERBE
GALLIENI
GAMELIN
GIRAUD
HOCHE
JUNOT
KLEBER
KOENIG
MANGIN
MARCEAU
MARCHAND
MOREAU
NAVARRE
NIVELLE
ORLEANS
PALIKAO
PAU
PICHEGRU
RAPP
SARRAIL
TROCHU
WEYGAND

```
U A X I A S E D S T O L I N
R O C F H G N R R O A N K D
G O S A B T E V E N K C S Y
E A R N R L K M G U I V M V
H R A E F N A R N J L P U S
C U F F B R O A A I A Z A Z
I G U M C E N T L B P M N B
P O O E Q I L P U S N Y L J
B X A E G G R K O A A Y E K
P U D N Q M A Q B T V F T M
Z D A E E F P L P C A N S V
E M R K G D P Z L D R E A D
P E H A F A C T U I R I C U
D J B T E H U M Z X E I A A
G L Y L A G O L T B N N N R
U A P N E U I S L P I G I I
F E Z U R W N B F E L Q L E
A Y T I B E D T T U E G I X
I U E O N Y G A R U M D A I
D Z I F N G F L P C A Y R N
H N W Q C A Z V A I G A R P
E H O L G N I M N D W N A G
R O B R L D B M N N K T S C
B C R C I R T J S A M H N G
E H V B O B H W D H W O A I
E E X N I V W W E C N I E N
K B N U H C O R T R V N L E
G E E L L E V I N A K E R O
Z J U A E R O M C M A G O K
```

208

5. SENORITAS ALL

ALICIA	ELVIRA	LAURITA	PILAR
ANITA	FELICIANA	LOLA	RAMONA
CARMEN	INEZ	MANUELA	ROSARIO
CATALINA	ISABELLA	MARCIA	SABINA
CLEO	JACINTA	MARGARITA	SOLEDAD
CONSTANZA	JOSEFA	MERCEDES	SUSANA
CONSUELA	JUANA	PASCUALA	TERESA
DOLORES	JUANITA	PEPITA	VICTORIA

```
G A T I N A H W J X J X M R T U E E U R
X H B D G R F L D A A L L E B A S I T M
Q A A I C I L A A U N P Z B U R J S K M
W R F K M P U L N A M I T T V I Z V A B
N D A E H M C A I T L J L U J V V N J N
C D O M S T F U B I G L Q A N L U T T Y
O C G L O O Z C A R S R Z D T E I E K Z
N B J Q O N J S S A A O Y K L A R G R B
S L M J L R A A Z G N O L A E E C K R L
U A S E U O E P T R A L Y E S J N O A A
E Z I V R A L S Z A I P N A D K Q E L U
L N C R A C N A E M C R M V T A V L I R
A A A A O T E A N L I S O I Z I D C P I
J T R I L T I D I D L U I S Y W N V I T
U S M F C A C P E A E S I M A E T A A A
Y N E V I R G I E S F A D K X R U I U L
P O N H E M A J V P H N Q A T N I C A J
B C H N F A J M W W T A D Y X R E O Y W
```

6. BY THE SOUND OF IT

ACOUSTIC
AIR
COMPRESSIONS
CYCLES
EARS
FREQUENCY
FUNDAMENTAL
HARMONICS
MODULATIONS
MUSIC
NOTE

OCTAVE
OSCILLATE
PICK-UP
PITCH
PRESSURE
QUALITY
RADIO
RECEIVER
SENSATION
SIGNAL

SOUND WAVE
SOURCE
SPEAKER
SPEECH
SPEED
TELEVISION
TONE
TRANSFORMER
TRANSMITTER
VIBRATING
WIRELESS

```
E B E T A L L I C S O G F J K U S C K X
X P U V T N Z D Q L R S A H U C I U O X
H F U M B N W T A A T S C H U S H O C Y
G X U K E T O N D S R E K P U I C I R R
I I L N C D G I P M E L C M R T T T E I
U A M B D I O L U P T E W R A S I O M A
N F R I S A P F S K T R V V U R P N R C
K O F Y S J M Z G A I I E O V O N E O O
M S I O N A S E P L M W C P G B S N F M
N C Y S O W I R N G S A Q I N D S P S P
O I U P I T C T A T N U O Z I R O V N R
I N G R T V L Y V E A J R S T E U J A E
T O B E A Q E R C L R L K P A C N G R S
A M N S L A P L I L T U H E R E D U T S
S R E S U D I T E I E B M E B I W T C I
N A N U D L Y R L T A Ş H D I V A Y D O
E H N R O Y C N E U Q E R F V E V W N N
S W T E M R E K A E P S H N A R E I R S
```

210

1. Sounds like perfume
2. The Queen wears one
3. American currency
4. Add a penny and you have a bike!
5. Old two-shilling piece
6. Sounds outspoken
7. Money in your pocket
8. One of the Gospel writers
9. Herb to accompany lamb
10. Memo
11. Penelope's nickname
12. Five-pence piece
13. Sing a sing of this

1. C - - - -
2. C - - - - -
3. D - - - - -
4. F - - - - - - - -
5. F - - - - - -
6. F - - - -
7. L - - - - C - - - - - -
8. M - - - -
9. M - - - -
10. N - - -
11. P - - - - -
12. S - - - - - - -
13. S - - - - - - - -

A DOUBLE PUZZLE
Solve the clues to find the list of words hidden in the puzzle. The answers are in alphabetical order.

```
E A D G L R C E S N J Y G C N
G N E D N A W F V N C N G W O
N Q E O R L C H Y G I K O L Z
A N T B Z L T F A H W R R F Q
H E L G T O X E T R C F O A E
C D L R G D C R R H W L O L M
E Y N M M N A X X M S B X D F
S E K Z E F I P C L B G W W C
O F H P R Q I L L S M X N X D
O F X A K P Y T L I K O E B D
L I N Y N N E P N I O C A M N
S C E B M M L A L E H D N P K
O O J L I D L I I W C S S U E
L F Z N V D S X H L O T F F W
V F T L C R D N U O P Z L K A
```

7. MONEY

8. SOUP FOR LUNCH

```
Y N D P M K H D P T T
E P K A O A Y T N N P
K O J L T H B S O N D
R F Y F A A Q I E R S
U J R X M M F K U C B
T O A N O U C N E F P
T N X X T I N L V E N
K S Z T H K E V A Y P
W T A C A R E J P H F
M W N S Y I N E P F T
I L I T N E L W L Q E
```

BROTH
CELERY
CHICKEN
HAM
LEEK
LENTIL
OXTAIL
PEA
TOMATO
TURKEY

ARUNDEL
BATTLE
BEXHILL
BRIGHTON
CRAWLEY
CUCKFIELD
EASTBOURNE
HORSHAM
HOVE
LEWES
MIDHURST
NEWHAVEN
PETWORTH
RYE
SEAFORD
STEYNING
WORTHING

```
X Q C G M L E L A V K E F R P
Y K Q O L I E L U R I Z C H G
N L H N D N D W T G U E H N I
Y H H H L E O H E T N N I C E
E Y F O E W E W U S A H D N W
E V R R I H T P E R T B R E F
Y S O S F A D I F R S U H B L
R E V H K V W O O L O T C R B
B A Z A C E K W L B R R G I U
N F W M U N P I T O A A E G F
P O W C C Z H S W W L M T H Z
I R F K V X A T L M V L X T K
V D U P E E E E R B L E X O R
U W P B U P Y H V X S B H N D
Y F W E Y T G N I N Y E I S H
```

9. IN SUSSEX

212

10. IN HOLY ORDERS

ABBESS
ABBOT
ARCHBISHOP
ARCHDEACON
ASCETIC
BISHOP
CARDINAL
CLERGYMAN
CURATE

DEACON
DEAN
ELDER
FATHER
FRIAR
GURU
HERMIT
HOLINESS

IMAM
INCUMBENT
MINISTER
MONK
NUNS
POPE
PRELATE
PRESBYTER

PRIEST
PUNDIT
RABBI
RELIGIOUS
REVEREND
SADHU
SAINT
VENERABLE
VICAR

Puzzle submitted by reader Mrs. H. Ellingham, Exeter, Devon

```
R E R T Q Z G X Z F U H D A S X N Q V Z
A X U S H U U O Z R E H T A F I B Z S N
I E A E O A I P I B N O C A E D H C R A
R H A I L E Y N O U R E T S I N I M N D
F K T R I L Y O C H X S K N J M P A I D
D S O P N D X K E U S G C I T E C S A R
I V B Z E E E L S T M I D K F W Q J L F
M I B V S R B P U X I B B G O C O U T V
A C A S S A N J O J Y D E H D L T D V E
M A R G R S Z R I P P Q N N C E H P H T
E R C E S G E H G A B M D U T R M O E A
E O N E T V C Y I P D Q O Y P G A H R L
G E B O E Y E K L M C E R B S Y I S M E
V B D R S T B N E Q D A A A W M Y I I R
A F E Y A Q A S R W B N I C F A N B T P
O N F R F E H O E B X N K K O N K U Y L
D I U R D O H C I R T D O G G N Z N N G
G C L A N I D R A C P K T U R U G M K S
```

213

```
F F T B W B F S K T T
E I H C F J L S P E R
P W K V V L X I S A U
E D E Y O S J J A H Z
P T E R H E C M L E Z
P Y F F T S A O T W F
E Y F B A I A D N X Z
R A O U C H L U N E E
Z Q C J Q X T L Q U S
G E Z A X V S F Q S S
A A C L D I S X M S K
```

COFFEE   SCONES
PEPPER   SQUASH
ROLLS   SUNDAE
SALT   TEA
SAUCE   TILL

BRAND
CAPTION
COUNTERFOIL
COUNTERMARK
DOCKET
MARK
MONOGRAM
NAME-PLATE
NAME-TAPE
SEAL
STAMP
STUB
TAB
TAG
TALLY
TICKET
TIE-LABEL
TRADEMARK
WATERMARK

```
I K Y O A O I T E K C O D M L
N Z R J B R Q T U B R D N A K
W J O A H Z I Y U L U N O R G
E I C K M E E T V A Y A I K L
T E J O L R S T J E U R T J O
A I M A U I E B A S Q B P G Z
G M B A W N O T T L L A F N
T E Y C R I T F A T P I C A R
L A R E G G E E R W S E M Q T
L X L H A T O D R E Q E M A R
S N L L E E P N E M T F B A T
U M U K Y X U O O A A N J P N
Q F C B G I G Y P M M R U L Q
U I T K R A M E D A R T K O Q
T R B P M A T S H D K B C F C
```

12. LABELS

214

13. LARGE OIL TANKERS

```
Z N V A X A O N O X I N N D
V J O X L P D I C Z U A D O
S E I S P R G A B W I N K N
B F S A N G E V M K F N V W
U A M S A I C K O R J Y A A
R A T R O H B M K U A S S J
A E O I Y J A O N A R J B N
M C Q F L R A A R J H S E A
I O V I U L I P S Z E P L V
E X Y F A G U E A A A Q L A
S E Z K E I A S S N Q M A Y
S E M N O S R E K F B Q M I
I S O D A T R A T A H R A F
N V M G O E K K M I U Z Y D
A H A C N H F I S A T K A F
C N O A A I N A T L T U K C
R V D Z F L O J L B V N S M
G E A G W D A I Q K O K A E
Q P C W R A H N V X Y L H S
U L O F P K V K D O V W G Z
X X N K E N V O O A Z H V A
K X X R L U P M O K L O N Q
S K C Y G D R A G C J U E X
G D G Y A S A R A I E Y S V
F O J Z E E I U M J F K J A
V C Y W D N R R L H F U T H
W R G V N U I L E E C W B K
C C U P I Q A D V O B K H D
F O U C W K L G N O S A E S
```

AIKO MARU
AL ANDALUS
AL REKKAH
BATILLUS
BELLAMAYA
CORAGGIO
ESSO JAPAN
GLOBTIK TOKYO
HILDA KNUDSEN
JARMADA
JINKO MARU
NAI GENOVA
NANNY
NISSEI MARU
OPPAMA
PRAIRIAL
ROBINSON
SANTA MARIA
SEA SAGA
SEA SERENADE
SEA SONG
TITUS
VANJA
VELMA
WIND EAGLE

14. LET'S TAKE A PHOTO

ADVANCE
AUTO WIND
AUTOMATIC
CAMERA
CASE
CORRECTION
DIGITAL
DISTANCE
EXPOSURE
FLASH
FLASHGUN
FOCUS
HAND-HELD
INFRA-RED
LAMP

LENS
LIGHT
LOADING
MODEL
OVERRIDE
REWIND
SELF TIMER
SHOTS
SHUTTER
SINGLE FRAME
WIDE ANGLE
WIND ON
WINDER
WRIST STRAP
ZOOM LENS

```
W E C K D W I P R S W Z F L O E Z R E M
T I C S V I A N A E I D E L C W A S F H
W H N N U V S C F R M N Q X A W Z V Z H
D J G D A C E T C R T I G R P S C D B S
D E Q I E V O J A A A S T L O O H I S A
Z I Y D L R D F R N S R T F E K S G K L
R O G N G F M A O O C E E S L F S U U F
E N O I T C E R R O C E D D I E R M R N
T H F W T V E W I P N E W L R R S A A E
T I C I T A M O T U A I X I E S W P M R
U N E N R E L R K U D B L A N H A O C E
H D D O V P D X V E B O U E M V D E C Y
S O I X U H R V A P A T L D O W I N Q F
N N R S Z E R N M D O M N S D V I N A A
H N R Y W G G A I W O I J N E C Z S E H
Q R E L P L L N I O W A X E L L D J O X
Z F V F E F G N Z E D E N L A R E M A C
H U O W S O D S R F F S T O H S Z Q V T
```

15. GOVERNMENT RESPONSIBILITIES

AGRICULTURE
DEFENCE
ECONOMY
EDUCATION
EMPLOYMENT
ENERGY
ENVIRONMENT
FIRE SERVICE
FISHING
FOREIGN AFFAIRS

HOUSING
INCOME TAX
JUSTICE
LAW AND ORDER
LIBRARIES
MUSEUMS
PLANNING
POLICE
PRICES
PROTECTION

RATES
REFUSE DISPOSAL
REVENUE
SEWAGE
SOCIAL SECURITY
SOCIAL SERVICES
TOWN PLANNING
TRANSPORT
VALUE ADDED TAX
WATER

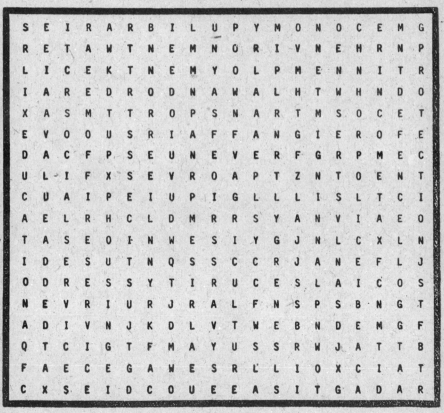

Puzzle submitted by reader Mrs. A. Reed, Truro, Cornwall

16. BUTTERFLIES

```
E R C X T S I W T K H K N Y J K Q R E C
T L A W I S Z A N I T S E L E C F S N A
A C N S L L E Y S O N H E M L N J R O H
R A D T A S A L P N E M E H N D A V I T
E E I A H D X H C C Y P A Y T E Q N H N
U N D T A C I I A I P S P H D N R D P I
L N A I M L X B L I S W O A R F A O M M
A E P R E H E A N C Z A O F N J O R A A
O S G A P N E E E G A A G V O D M H Y S
P E A Q U T M S V R A Y U A S E I O G P
R I T R A L I I D I X B R S X X K O O L
O E C Q T O I N Z A F C O I T G A W N A
T R Y Y N A A N L W A W C R T R C K D E
E I Y A C X P U A L A A H P R W A N C H
R X G R E I R O E L N W F I R A E L P O
P F F L I E N B E A R M V C T R R G I C
I J A V A N R N C L Q C U F B C E C V S
A L N M B A A F A N C X M E X A S K V T
```

AGASICLES	CIPRIS	PANDIONE
ALEXANDRA	CLEOPATRA	PAULINA
AMINTHA	CYCINNA	PHILEA
AMPHIONE	ERATE	PROTERPIA
ARBELA	HECABE	PYRANTHE
AUSTRALIS	LAETA	RHAMNI
BRENDA	MAERULA	RYRINA
CANDIDA	MENIPPE	SENNEA
CELESTINA	MEXICANA	STATIRA
CESIONA	NERO	TILAHA

17. CRACK

```
H A J P I M C E H S P W I N
P A Y A S W K E E V A E L C
Z B I N R I M A T O V W P I
B I A E R I A D A V R Z I N
K S C T R R L S R O T X L D
H K S P B A M E E J I B C N
N O D G R A H O T U L I G Y
P M U N T Y T L I N P B O J
E F S T J M H U L N S R N W
U X E S S M B F B Y T O F A
D R P U B R I C O S T R Y E
G D R L E W O X E C A B D P
M C N A O S W D E C A U O Z
T E C I T S R E T N I U V S
U H R N R C I U G F N P E H
C K V J H G R O D D K V W K
C G D O B E S X N L E P B C
N V P T W T I O N R V F G A
O E T A T S A V E D R O E W
K I R E T N I L P S C X I H
R C D W N S H T L W C E O T
K M N B H D U C U E Q P A T
N F T G N A R P L O Q G E B
W K M E T U C L E C L A L Z
C W R E M S E K X R R C B V
R D P P Z N F W A M I M N G
C I L S T I V B X E N O U X
O E V D C P X F T S R Q R P
N A W E G H S A L S G B C E
```

BANG
BREACH
BREAK
CHIP
CHOP
CLEAVE
CLIP
CLOUT
CRUMBLE
CRUMPLE
CRUSH
CUT
DESTROY
DEVASTATE
EXCELLENT
EXPLOSION
FRACTURE
GRIND
INTERSTICE
OBLITERATE
POUND
PRIME
REND
RIVE
SEVER
SHATTER
SLASH
SMASH
SPLINTER
SPLIT
STRIKE
SUPERIOR
TEAR
THUMP
THWACK
WHACK
WRECK

18. WELSH NAMES

```
O Q N A D E M Q N P C
N Y J R L Y N Y L M E
A T L M X U L M S G F
N D U U H W N A P G L
O A H U H U M O N B Z
C V O U H O P B H U N
D I W Z H T A E H Y A
R D E T T B E F I H V
W Z L P N B J R M K E
X Y L E G B X O A B Q
A H O J F K E A Y G E
```

ALUN
CONAN
DAVID
DYLAN
EMLYN
EVAN
GARETH
HOWELL
HUW
THOMAS

AVOID
BAN
CANCEL
CONDEMN
CONFOUND
DENY
FLOUT
FORBID
HINDER
IMPEDE
JAM
JINX
OUTLAW
PREVENT
PROHIBIT
REFUSE
REJECT
STUMP
THWART
TROUNCE
VETO

```
Z R P G V V M B W Q H B S R K
T F E R K C Y N E D Q K T F T
R L L D O N O T Z T V T U O C
A S E P N H R N E J N Z M R E
W I C I B I I U D E B F P B J
H P N C I A H B V E J I C I E
T J A X U B N E I I M A K D R
O D C E N K R H N T H N H J Z
U L G G C P I X T F K T O T O
T S P C O N M A J L K D A L I
L D I O V A U X A O A X M M O
A E S U F E R O G U V V P Z F
W F B W I R J E R T U E E Y O
D N U O F N O C R T D H Z T L
U N N S W X R B X E N A N L O
```

19. NEGATION

20. WOODWORK

BUCKLING
BUILD

CABINET	MORTISE	TENON
CARPENTRY	OAK	TIMBER
CREOSOTE	PAINT	TREAT
DENTS	PLANE	UNDERCOAT
DOOR	POLISH	VARNISH
DRY ROT	PRIMER	VENEER
FURNITURE	SANDER	WARPED
GRAIN	SAW	WINDOWS
JOINERY	SAWDUST	WOODLICE
KNOT	SHAVINGS	WOODSHED
MAHOGANY	TEAK	WOODWORK

```
H  U  D  J  W  T  F  M  P  F  F  K  E  E  W  C  M  M  L  B
S  U  L  C  O  A  E  Q  B  P  I  R  U  S  Y  T  E  U  B  S
I  V  I  T  A  I  S  A  S  V  U  M  W  R  A  N  O  U  N  X
L  X  U  I  I  B  N  U  K  T  O  M  O  O  A  W  C  H  X  M
O  X  B  S  T  M  I  E  I  I  N  O  A  L  O  K  D  H  B  R
P  F  F  W  K  P  B  N  R  G  D  E  P  H  L  D  L  U  E  F
P  Q  K  O  Z  T  R  E  E  V  K  C  D  I  O  Y  W  E  S  T
F  W  I  O  T  U  A  L  R  T  B  W  N  W  C  G  N  O  O  T
H  I  T  D  F  A  P  O  B  E  G  G  K  A  S  E  A  A  R  C
T  N  N  S  Q  W  E  E  C  R  W  T  R  G  V  M  K  N  L  K
Z  D  I  H  J  O  T  R  A  R  O  P  N  O  O  R  V  M  Y  M
J  O  A  E  U  O  F  I  T  R  E  I  Q  R  R  E  A  M  D  A
B  W  P  D  S  D  N  C  Y  N  V  D  T  P  A  D  R  B  R  P
X  S  A  O  G  L  D  R  T  A  X  I  N  G  N  N  N  B  E  W
G  P  E  R  M  I  D  R  H  I  S  O  C  U  J  A  I  H  M  N
Z  R  Z  Z  P  C  Y  S  J  E  E  E  B  U  O  S  S  K  I  A
C  I  V  I  S  E  N  P  N  O  N  E  T  L  A  R  H  L  R  K
W  E  U  E  N  F  D  A  J  T  O  N  K  P  M  V  O  P  P  F
```

21. SCRIPTS

CELESTIAL
CHINESE
COPPER-PLATE
COPTIC
CUNIEFORM
CYRILLIC
DEMOTIC
ETRUSCAN
FUTARK
GOTHIC
GREEK
HALF-UNCIAL
HIERATIC
HIEROGLYPHICS

HINDUSTANI
ILLUMINATED
ITALIC
MAGI
MASONIC
MINOAN
OGHAM
OLD ENGLISH
ROMAN
ROSICRUCIAN
RUNIC
SHORTHAND
SIAMESE
UNCIAL

```
C C P K C N X Q K S C Q H J W F S A C Y
I C E I N Z L M C U H S N R P A D G Y L
H S D L X A A A N I I O G A K R A T U F
T C C P E G I I I L N F R I C N R F U C
O I N E I S E C G C U U N T R S E G O V
G H I Y H F T N U E N A R E H V U P D P
D P R E O X E I V R T U P L X A T R L B
E Y O R M D S H A S C A A I V I N R T S
N L M K L C T X U L C I L E C C K D I E
I G A O E C K D I I C L S P S G M A B H
T O N G E E N M L N U M C O R E M S V S
A R E S E I Z L U M A I I I R E N D M M
L E C R H F I F I S H N T D S F P I H D
I I G H M R L N O G G O A E Y L K P H H
C H A A Y A A N J I X A R E T E P D O C
Y P H C H T I N A K N N E Y J B S B A C
A G H V E C C O X Z P I I K V R I O W H
O H M D Z C I T O M E D H M Q A F C E Y
```

222

22. WASHING DAY

Word list:

- AIRED
- AUTOMATIC
- BOIL
- BUBBLES
- CLEAN
- COLOURED
- CREASES
- DRY
- FADE
- FOLD
- HAND WASH
- HANGERS
- HOT
- IRON
- IRONED
- IRONING BOARD
- LAUNDERETTE
- LAUNDRY
- MANGLE
- PEGS
- PRESSED
- RINSE
- SCRUB
- SHRINK
- SOAP POWDER
- SOAPSUDS
- SPIN DRY
- STAINS
- STEAM
- STRETCH
- TEMPERATURE
- WARM
- WASHING LINE
- WASHING MACHINE
- WHITES

```
H H L E J U C Q T R K A L U
A A A E C Y Q R F O C M G U
N X U Z R G R V E O H A Y J
D V N P T U S D S A L J P Z
W J D W H E T H N E S D L A
A F R Q B N A A R I T E T N
S L Y L D I O Y R I P I S U
H N E D R H J A Y E N S H B
U O F E S C H R R A P K G W
W S D G R A W E D B Z M T E
P A E T N M B N K U N I E D
F P O G W G S O F B A H B T
J I E L A N F I E B E P J Q
U R V S R I M I P L L L N E
S L I O B H L D J E C V S B
P M L W B S A N J S V N E Z
D P M U Q A H O P A I T E N
P R R M Q W S C U R T F W K
R C A Z M T P T T E A A Y R
S F U O E S O R R E S O K E
F V M A B M S E E H R K F D
D M M A A G D O I S S T I W
E F W T N N N N A N S R S O
R W I P U G G I I P O E D P
U C A A N L L A N N S E D P
O T L R I T T E E O N U M A
L M R N M S R A H O R O D O
O T E X N H Q L R P M I W S
C K H Y C Q Z I O D D N L G
```

223

23. SERVING.....

```
I P C Z H C C H W Q T
U V E C G A A O P Y N
U N M T S J T S E C A
S U A G R E X C O O Y
W U W M O O H P H D E
M B F F O S L S R E A
A A D C P W E I I T Q
X Z I O Z F N E C D B
A F O D D K T M C W Y
L N G F S E C I M E T
S W M I A N I T Z A H
```

ACES
DISHES
DRINKS
HATCH
MAID

PETROL
SPOONS
TEA
TIME
WOMAN

BANE
BLIGHT
BOTHER
CURSE
DISTRESS
EPIDEMIC
HARASS
HARRY
INFLUX
NUISANCE
OUTBREAK
PANDEMIC
PEST
SCOURGE
TEASE
TORMENT
VISITATION
WORRY

```
L T N E M R O T V H N S E G R
R U Y S E S R U C O O A S U A
E C N A S I U N I W E J L Q T
B Z W J P H M T Y G R N K U I
W S F X H K A E R B T U O Z E
C K S P W T U U H Y S P I K U
L T E E I O O V S E F B V J U
P S K S R C R I Q P K L I X Q
T A I R S T N R L I T I W N J
E V N A E F S S Y D J G K D L
H S U D L H S I Y E V H N U W
L N A U E A T E D M V T X V I
R U X E R M N O T I G H L X B
R P Y A T A I H B C D T O V L
A F H C B E X C Y R R A H G A
```

24. PLAGUE

```
C H G B F P R P K A O D I N I A L P L F
W K G I A E C C T P A N E K O R B G T J
N O K R G O A E A E N R V X S C Z N S A
Y X K N C J E N R J F U V Z R D D I R T
K I I O P W S B T L V S M A E E O R A U
N F N A S Y P P L R O K C V C D S T T N
U U L I D S S V A A E K I I F H K U A R
T F M N I F I L X N E T P P O A D N F E
U E A R Z U R L Q R S M A R M Y N O I G
S R C X J C C M L E A R T L K N Z C A N
B H C P A Z A J G O M B E E O D K O Y I
A T O N H C G I A A R M M G E C Z C G G
O E A R A P D I X E U G E E N W O D O B
V P T R T E D L A F J I I H W I S H D R
E R O H I C R D A U V K A F I Y G X C E
K O Z A C M A E R C D R A T S U C L A F
N N Q P Q I H K Y J P I H S S C Q H F A
E C T I T S R J E P I D L A B I R A G W
```

25. BISCUITS

BRANDY SNAP	DOG	PLAIN
BROKEN	FANCY	RATAFIA
CANAPE	FIG ROLL	RICH TEA
CHOCOLATE	FINGER	RUSK
COCONUT	FLAPJACK	SEMI-SWEET
COCONUT RING	GARIBALDI	SHIP
CRACKER	GINGERNUT	SHORTBREAD
CRISP	GINGERSNAP	SHORTCAKE
CRISPBREAD	HARD	SWEETMEAL
CUSTARD CREAM	ICED	WAFER
DIGESTIVE	MACAROON	

```
C N Z Q P I M O E E E S H G
I D B M H R X A L O K B B Q
N V O M A N G P O P Y H K T
A B W V A L S K C K N A O A
N P I D E L C N I T A B G L
D N E P E U G H C M S D L B
T Y O L C T O A A B O Y L K
W B Y G J C O R D G L K U M
R R C W A L S E A F C U B U
Z A A A F R E N R U D Y U I
S E U G M F D E D K I N T E
F B F M O E T N A F X K N G
T V Q X B T L T A E P T E Q
C N I N U I T Y N E B G P L
V H A B H W A P L B W T R O
Q G G H P W O R C K W H E F
B O R U P X G R T A C F S G
B E C A L E U A F G B L O O
P L F J S L L N G B R Y D D
F I A L M S Z E I C N Y L L
I D H T A K H G C C Q A S L
B O Q X W C U O S B O M T U
E C T A J B U E P F G R R B
E O H Q L W N N N P L Z N S
T R V B G O R F T I E G S W
L C K M O K G T O A W R N S
E O G C Z Z X V A A M S A S
C U E L O D D D P D H J E W A
M N Q R B C P Z Z X D Y B Q
```

ANT
APE
ASS
BAT
BEAR
BEE
BEETLE
BULL
BULLDOG
BUTTERFLY
CALF
CAMEL
CAT
CICADA
COCK
CROCODILE
CROW
CUCKOO
DOG
DOVE
DRAGON
DUCK
EAGLE
ELEPHANT
FLY
FOX
FROG
GOAT
GOOSE
GRASSHOPPER
GULL
HARE
HAWK
LAMB
SERPENT
SWINE
TOAD
UNICORN

1. Flying machine
2. Height
3. Where the pilot sits
4. Journey through air
5. Plane without engine
6. Aircraft with rotors
7. Ground
8. Pick up
9. For sky divers
10. He's in charge
11. Pathway for the plane
12. Rise very high
13. Distance
14. Cab for hire
15. Forming the end
16. To journey

1. A---------
2. A------
3. C------
4. F------
5. G------
6. H----------
7. L---.
8. L-----
9. P--------
10. P----
11. R-----
12. S---
13. S-----
14. T---
15. T--------
16. T------

A DOUBLE PUZZLE
Solve the clues to find the list of words hidden in the puzzle. The answers are in alphabetical order.

```
L Z H B U I U E T H P D P Y B
R G A T E D D R D F Q A F A L
D H G E M U A F E U I Y T W I
T C M D R V L L T N T L M N Z
L A N R E O P N U G Q I A U V
H A F L O I P O H P P Y T R T
N E N Z X F Y L C D S I Z L B
F X L I L F A P A O M B L C A
R G X I M Z A X R N A O O O G
B A G S C R S M A J E C S O T
T H I O A O E Q P L K P O D K
T H W C W P T Z P A F K L F
R E D I L G G T I C E N Z G G
I J U O J D T T E O J L D P Y
F T R A O S W O C R W J P X W
```

27. TAKE WING

28. RITUAL OBJECT

```
H T U J L C Z O V B Y
A B T E H K A E B L F
P L W O H Y I N N L R
K O T H I R M D D I S
R V H A C E E H Z L W
G S W R R V P Y L V E
R W E C I L A H C D T
A R O B F A T G V A W
I S E P U S E L X E L
L W D O O R N U H R F
O J C N M T Y V V B X
```

ALTAR   PATEN
BREAD   ROOD
CANDLE   ROWEL
CHALICE   SALVER
GRAIL   WINE

29. CHINESE ART

```
Y O Q M T E C G M O O H T G W
C A O R X P R N R U O L O C M
L C F E S A T I B B R V C J E
F L B P R C N K G X A O C F M
D L O P E S A N R R B M X G E
P D O O W D G A D A B G B V A
D O M C O N E N L C V T I O S
Y E R S L A L T Q E J T Z W O
S N P C F L E V R F A C I F M
L I C O E E E H A R H T H Q A
L F Z R L L W S O Z S E S A V
O Z T P W X A C F J W B R P D
R S D R I B E I M B G U X K F
C X A T R D B O N F H O N X K
S K Y V E G N O R T S I X P L
```

BAMBOO
BIRDS
COBALT
COLOUR
COPPER
DECORATIVE
ELEGANT
FINE
FLOWERS
INK
LANDSCAPE
NANKING
PORCELAIN
SCROLLS
STRONG
VASES

228

30. DISEMBODIED BEINGS

AFREET
ANGEL
APPARITION
BANSHEE
BOGY
CACODEMON
DAIMON
DOPPELGANGER
DUPPY
ELF

FAIRY
GENIE
GHOST
GHOUL
GOBLIN
GREMLIN
HOB
HOBGOBLIN
INCUBUS
JINNEE
KOBOLD

MANITOU
PHANTOM
POLTERGEIST
SOUL
SPECTRE
SPIRIT
SPOOK
SPRITE
SYLPH
UNDINE
WRAITH

```
N H H F S J M K C L X D F H E J N N E L
B V O Y S U O T I N A M T K E P I T U C
Y W L B N A V K C G M I O W D L H O L A
D P Z E Y J S A T X A O X W M W H T B C
H W Y Y X P I W K R P V T E N G S D O O
F K E D E L S N W S N K R T C O O I G D
W L T C T P U A N O X G Q Q H P A S Y E
M J T M R S I O I E H F Y G P S V P M M
F R N I W K I T S Y E P A E Z N U I G Q
E I T O O A I E V D P J L F I Z Y R O N
B E E B M R N E G U T G P L R F M I B W
X A O I A I N G D R A M B I X E L T L B
O L N P N I A Q E N E O U R N M E E I P
D R P S D E S D G L G T J D G C I T N P
L A S N H X G E K B U N L M P Y U C Q A
Z D U M D E R V O F Q A K O E J J B A D
Y R I A F Y E H X Q J H T Y P U O V U Y
D G T O H X E W X T E P A E W H X G N S
```

M	R	U	E	F	F	U	A	H	C	C	D	F	D
V	I	D	V	L	P	È	S	M	Y	R	H	C	R
K	I	O	M	Z	T	R	D	R	A	E	H	T	I
Y	S	K	O	U	U	I	E	U	S	A	J	H	V
K	C	R	I	F	A	L	G	P	M	P	M	C	I
J	Q	K	O	M	L	Y	A	P	K	M	P	A	E
M	M	P	O	E	D	R	A	E	I	U	P	Y	R
A	G	N	W	O	T	G	L	A	B	V	N	F	A
N	D	E	B	I	N	I	L	L	K	U	O	J	U
S	J	B	E	E	X	L	I	P	F	V	I	F	Y
I	A	S	N	E	I	C	M	L	Z	R	H	O	O
O	Z	N	X	V	S	H	O	T	J	A	S	C	J
N	X	A	T	C	R	L	U	A	J	I	A	O	V
R	T	R	H	I	Q	G	S	V	E	V	F	P	Z
F	E	O	E	W	Q	G	I	Y	T	A	H	C	E
J	O	T	H	L	C	U	N	U	L	C	R	E	T
L	S	X	P	A	T	I	E	G	A	S	B	E	N
T	M	U	S	O	G	U	G	S	G	W	W	N	A
V	A	I	N	W	C	X	B	R	R	I	J	U	T
T	N	O	C	T	G	I	I	K	A	M	V	O	U
O	R	U	B	N	A	D	L	R	C	M	O	H	B
C	O	A	I	D	F	N	X	E	E	I	L	T	E
J	L	I	V	W	E	Z	P	C	H	N	O	N	D
M	K	U	A	E	Q	E	E	L	O	G	P	E	N
S	G	Y	B	D	L	Y	P	I	R	P	W	W	B
D	L	O	G	G	E	S	A	S	S	O	Q	V	H
E	N	A	L	P	O	R	E	A	E	O	J	A	Q
S	E	R	E	M	H	S	A	C	S	L	P	R	A
X	K	Z	T	N	A	T	N	U	O	C	C	A	I

ACCOUNTANT
AEROPLANE
ANTIQUES
BODYGUARD
BUTLER
CASHMERE
CASINO
CAVIAR
CHAMPAGNE
CHAUFFEUR
CLUB
DEBUTANTE
DIAMONDS
FASHION
FURS
GOLD
HELICOPTER
JET-LAG
JEWELLERY
LIMOUSINE
MANSION
PARTIES
PENTHOUSE
POLO
PUBLIC SCHOOL
RACEHORSES
RIVIERA
SKI-ING
SPEED BOAT
SUN TAN
SWIMMING POOL
TAX EXILE
TRAVEL
VILLA
YACHT

32. CATS

```
Q U C N T C T N X F I
X F N A M R I B R V L
Q Z F H K A Z T F C A
K J B S N C U E A Z M
S M B G E R P F N O O
U Z O O K S F J D M S
Y R D I M R E Q I Y M
A I S X E B J M B Q A
W H A P N Z A B A T N
Y E G X K G A V O I X
C E A L A T P U L J S
```

ANGORA
BIRMAN
BOMBAY
CAFFRE
MANX
SIAMESE
SOMALI
TABBY
TURKISH

BEDS
BLOOMS
BREEDING
BUDS
CLIMBER
CUTTING
DISEASED
FEEDING
GREENFLY
HYBRID
NURSERY
PESTS
PETALS
PRUNE
RAMBLER
SCENT
SHRUBS
STANDARD
STOCK
SUCKER
TEA ROSE
THORN
TRELLIS
VARIETIES

```
U U S M O S M O O L B W W U V
L K N T G L V B D R P P A A S
F D C J S N H L U R E R R C D
E R S O Z E I E F T E I U S U
M A O S T C P D A N E K S N B
W O R D I S L L E T E H C X E
N N F I F L S I I E R E C U X
R A Y S E U L E M U R G R A S
O T R E E S S E B B P B S G K
H S E A D V O S R T E D X G N
T D S S I I B R N T E R N W N
S P R E N P R E A B R A C G Y
A C U D G J C B R E L B M A R
Z I N S D S Z W V I T H O V R
Z X G N I T T U C H H G V L G
```

33. IN THE ROSE GARDEN

231

34. NOT CARING

CARELESSNESS
DERELICTION
DISREGARD
EVADE
EVASION
FAILURE
FORGET
HEEDLESS

IGNORE
INACTION
INATTENTION
INCONSIDERATE
INDIFFERENCE
INDOLENCE
LAX
LAXITY

LAZINESS
LEAVE ALONE
LET RIDE
LOAFER
NEGLECT
OMIT
REMISS
SHIRK

SKIMP
SLACKER
SLACKNESS
SLIGHT
SLOPPY
STRIKER
THOUGHTLESS
VIOLATION

Puzzle submitted by reader Miss F. Langford, Norwich

```
X R F P G R E K C A L S E S K S W O E T
E D I R T E L R L T P V C L U N R E F I
D U E R Q P Y M I E T J N O G E Y V R B
G T T E D B R M T H A D E P K G T D I W
H H A K I U O Z G U R V R P E L I H N J
E O R I S K R I H S D I E Y V E X B K I
E U E R R C L W P Q N D F A N C A A N S
D G D T E S A P T D E N F O L T L A L S
L H I S G A O R O R O W I E M O T K R E
E T S U A J Z L E I W T D E V T N E C N
S L N A R Q E L T L C X N H E A M E I I
S E O W D N I A E A E V I N R I S G H Z
Y S C T C C L I N R Y S T L S E N I M A
N S N E T O S I J K U I S S S O F E O L
N I I I B R T S X O L O N R K P A R N
G A O V B X C M F N T U F E E A I T O Q
Q N G N S S E N K C A L S A V S B M S L
Q A Y P V L T E G R O F W E F R S G P G
```

232

35. NOT FEELING AT ONE'S BEST

ABSTRACTED
ALARMED
ANNOYED
ANXIOUS
BROODING
DEPRESSED
DISTRACTED
DISTURBED
DOPED
EXCITED
EXHAUSTED
FORGETFUL
FRIGHTENED
FROWNING
FUSSED
HURRIED
MELANCHOLY

NERVOUS
OVERTIRED
OVERWROUGHT
PALLID
PRE-OCCUPIED
PUZZLED
RESTLESS
STRUNG UP
SUICIDAL
TENSE
TIRED
TROUBLED
VAGUE
VEHEMENT
VIRULENT
WEARY
WHACKED

```
Q H D Y V U V R R A W L A D I C I U S D
D E E W R A G G O F B N S S U O V R E N
I G I H S A G R D D R S X H U Z H T D Y
L D P A D D E U M I E I T D Y O S I L M
L E U C E E V W E L S M G R E U I O K P
A S C K S R E L T T T T B H A T H X P X
P S C E S I H S S H I K U H T C I H N E
P U O D E T E Q K G V D X R N E T C Y A
U F E S R R M L D U A E E A B B N E X S
G F R F P S E Q E O H N L L I E G E D E
N O P R E L N K M R V E N Q B G D E D V
U R S O D T T C R W M H T O R U R R I O
R G S W D E T C A R T S I D Y I O R R U
T E D N R N S X L E F Y U M T E U R F K
S T O I T S M J A V U S V R J L D T T T
S F P N L E H P J O L C E D E I R R U H
V U E G N I D O O R B V G N S M V H A Z
T L D D E L Z Z U P O W T X L F H K F Q
```

Puzzle submitted by reader Mrs. D. Jeremy, Leatherhead, Surrey

36. TRUE OR FALSE?

ALLEGED
BONAFIDE
CHARLATAN
CONVINCING
COPIED
COUNTERFEIT
DELUSION
DOUBLE
DUPLICATE
FABRICATION
FAKE
FALSEHOOD
FEIGNING
FORGERY
FRAUDULENT
GENUINE
HONEST
HONOURABLE
ILLUSORY
IMITATION
IMPOSTER
LYING
MIME
MIMICRY
ORIGINAL
PLAUSIBLE
PRETEXT
PROXY
REAL
REPLACEMENT
REPUTED
SHAM
SUBSTITUTE
SUPPOSED
TRICK
TRUE
TRUTHFUL

```
J E N I U N E G J R F G L F
J O Y R O S U L L I E K A F
Y W G W Q C X A F N C E H D
M P J J X A E P O N D K I E
Y N O I T A C I R B A F U T
R W S S R E T I P U I W U U
C E V W U A B L P P Y E U P
I M E O T B A O R B L C A E
M I E I E U S E N U A L I R
I M M S S T T T D A U D W T
M I N I P E A U I F F D W I
L U B A X F A C H T E I T V
H L C T T R E T I G U S D G
E F C O F A U I E L E T D E
S E T E U R L L G N P O E F
U H L T T N L R O N U U A L
G D A B N A T H A B I L D Z
N E Y M A E M E L H S N C R
I L R E T R M E R E C P G Z
C U E Z R I U E H F S U A K
N S G K U F T O C H E C T C
I I R K E S O R N A R I N I
V O O E O D C P E O L D T R
N N F P Z O R B E A H P Z T
O L M C P O A B V Q L Q E S
C I N I X H X X I M S X K R
X J E Y G K P V D G N I Y L
D D E S O P P U S Z U I P A
G T J L A N I G I R O M W A
```

234

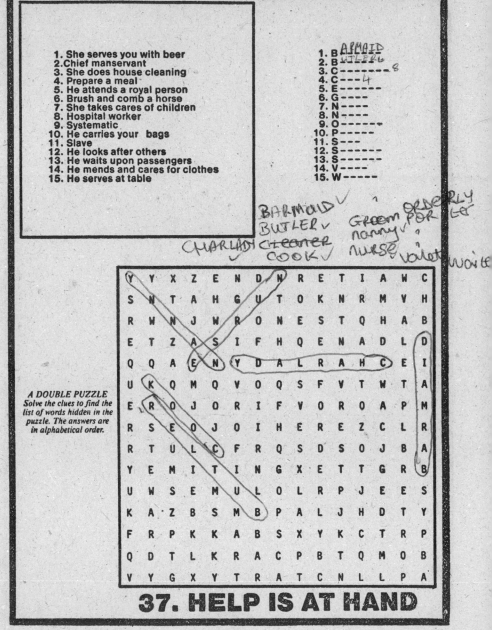

1. She serves you with beer
2. Chief manservant
3. She does house cleaning
4. Prepare a meal
5. He attends a royal person
6. Brush and comb a horse
7. She takes cares of children
8. Hospital worker
9. Systematic
10. He carries your bags
11. Slave
12. He looks after others
13. He waits upon passengers
14. He mends and cares for clothes
15. He serves at table

1. B ——
2. B ——
3. C ——————— 8
4. C ——— 4
5. E ——————
6. G ————
7. N ————
8. N ————
9. O ———————
10. P ————
11. S ———
12. S ———————
13. S ———————
14. V ————
15. W —————

A DOUBLE PUZZLE
Solve the clues to find the list of words hidden in the puzzle. The answers are in alphabetical order.

```
Y Y X Z E N D N R E T I A W C
S N T A H G U T O K N R M V H
R W N J W R O N E S T Q H A B
E T Z A S I F H Q E N A D L D
Q Q A E N Y D A L R A H C E I
U K Q M Q V O Q S F V T W T A
E R O J O R I F V O R O A P M
R S E O J O I H E R E Z C L R
R T U L C F R Q S D S O J B A
Y E M I T I N G X E T T G R B
U W S E M U L O L R P J E E S
K A Z B S M B P A L J H D T Y
F R P K K A B S X Y K C T R P
Q D T L K R A C P B T Q M O B
V Y G X Y T R A T C N L L P A
```

37. HELP IS AT HAND

38. ICE

```
I A I H W N M K E M J
E T A K S X H P Q O B
E H K X Z I O Y J G Q
D W A M C M F B L S T
I I B I R E K A E R B
L P C U V X C O U I D
S L I Z C I W D U O E
E Q S L E K G T B J Y
A J K R S V E A V E X
F I I O B Y A T J Z E
P R D T O X O J E G A
```

AGE
BOX
BREAKER
BUCKET
GLACIER
ICICLE
SKATE
SKID
SLIDE
SLIP

```
W G W T S C G H Q W V U L Q H
E Z U K J A E P I E M R X P S
S F A M N T H B S P G J M D E
L E B F I I M J Y G N E U L D
P Y J H L A N E M Q O O P I L
O K W E D A Y R A G L D P E H
O F S G N Y K Q N C K G O Z G
M A T T O E W E R S C P S S B
H L O N F O C Q S D A Y V D D
L L R G S I S S W R L P R R X
Q S M T L E R E D I L O G E I
B E E K I B O D L O P B V L D
S E Z R Z U U H U F A X X C J
K H U E Y Y S G S L W U T D R
S U J B E T H C L S J N M C C
```

BALL
CAT
CLOUDS
DOGS
DRIFT
DROP
FALL
FLAKES
GOOSE
LEOPARD
MAN
PEAKS
PLOUGH
SCENE
SHOES
STORM
SUIT
TYRES
WHITE

39. SNOW

40. LONDON 'HOUSES'

ABBEY
ABERNETHY
ADASTRAL
ADMIRALTY
ALHAMBRA
BADEN-POWELL
BEAVER
BOOTH
BOWATER
BURLINGTON
CANADA
CARLTON
CHAPTER

CLARENCE
DARTMOUTH
DEVONSHIRE
DICKENS
ELY
ESSEX
FLAMSTEED
GORE
GRESHAM
HERTFORD
HILLGATE
KENWOOD
LANCASTER

MACARTNEY
MANCHESTER
NEW ZEALAND
PORTLAND
ROLAND
ROMAN
ROUND
SEAFORD
SUSSEX
TAVISTOCK
THAMES
WINGATE
YORK

```
V F X E S S E C N E R A L C K D R E Y X
J R R E T A W O B L R D D Y R Q R H N E
D R O F A E S I A O N O Z O L I T Y T S
G R E V A E B R M A O L F A H E M E E S
I C K C K H T A L W A T N S N J U N H U
Z A R P D S N A N N R D N R P W L T H S
X R O B A F E E C E R O E F O I I R T N
A L Y D A Z K A H E V B H H R N L A U O
X T A A W D S M T E A B R I T G F C O T
M O W E D T E S D D G O E L L A L A M G
E N N X E A E N K N D O T L A T A M T N
O L Y R B H N G P U M T P G N E M K R I
C W Y M C T R A V O I H A A D B S M A L
O R J N H E Y D C R W L H T T Y T P D R
P B A A S N E K C I D E C E J G E M U U
C M M H A R B M A H L A L T R R E B Q B
V E A W Y T L A R I M D A L I O D C B W
S M A Z Y K C O T S I V A T E L G B G A
```

237

41. LACKING SKILL

AMATEUR
BLUNDER
BOGGLE
BOTCH
BUNGLE
CLUMSINESS
FAILURE
FLOUNDER

FOLLY
FOOLISH
FOUNDER
FUMBLE
GAUCHE
GAWKY
GREEN
IMPOLICY

INCOMPETENT
INDISCRETION
INEXPERT
LAYMAN
LUBBERLY
MISRULE
MUFF
PLAY THE FOOL

QUACKERY
RAW
RUSTY
STULTIFY
STUMBLE
STUPIDITY
TRIP
UNFIT

```
E B Q E P E J P N F P I M R D I I U E S
R O Y T I V D A O W N R G A F F U M E T
U G C G R D M L L C E R V I N Y R N N U
L G I V T Y L I O D E L B M U T S O V L
I L L S A Y X M N E H Y W G Y W I T E T
A E O L S G P U N G L A K L S T A Z L I
F F P T O E O Y A L M B R W E N S V U F
V F M X T F N U R A O E M R A T F R R Y
F Q I E E X C I T E B O C U U G H E S B
R L N X O H F E S B K S F P F B C D I C
K T O V E O U U U M I C I E T H T N M D
Z Y C U O R T L L D U D A R H P O U S B
W O Z L N U O W N B I L E U C T B L D K
N L I C N D A I U T K P C V Q E Y B M Z
P S N F A R E N Y V X V W P Y T D A Y Y
H Y I A W H G R C E D Y K M S S D V L E
R T C V W L J H N Y O I M U P L M N Q P
X H L Y E Y V I O P R V R A P U P D X P
```

42. ON BUDDHISM

```
I Y W B C S H T T G Z S V L A R O M H I
K N E V H T C M W J L P K M P H A I Y D
K I Q O U U L U K R O M A N M H T Q F V
I E G R S A R E L X R T O E H S T A M U
L I T N V N I S R P U I N C E D A M K M
I G F P C A D C A A T L T L T X I R V P
I H D S U V D R G C I U P D S S N A X O
N T N N Q R L I A G Z M R Y Q E M K E H
D F Y E A I E P H E E W L E Q L E E E F
I O E Z T N S T R T R R J V S F N N R M
A L F N S S E U E M R C M T T L T I T A
X D K O I N H R L O E A O Q Y E V A I H
H F M C Z R E E I N B S C W A S I P H A
I N E X F T T S G K I T Y Q T S A K D Y
R I R I S A D C I S R E O U M N E Z O A
T G S U L N W F O V T S P A B E J O B N
V Q A G B E I X N D H A O I A S W P R A
S V M S R D B I T N S K L G O S L F Y L
```

ACTION
ATTAINMENT
AUSTERE
BELIEF
BODHI TREE   EIGHTFOLD   REBIRTH   SCRIPTURES
CASTES   ENLIGHTEN   RELIGION   SCULPTURES
DOCTRINE   GAUTAMA   RIDDLES   SELFLESSNESS
                    INDIA   STUPAS
                    KARMA   TEMPLES
                    KOAMS   TRUTH
                    MAHAYANA   ZEN

MONKS
MORAL
NIRVANA
PAIN

239

1. Set of electric cells
2. Dash off
3. Holds shelf steady
4. For driving in nails
5. Hold this to open door
6. Enables door to swing
7. Hang things on this
8. Curl of hair
9. Wooden hammer
10. At your fingertips
11. External lock
12. It fits a socket
13. Tool with a cutting edge
14. Is it a sin?
15. Thin length of metal

1. B - - - - - -
2. B - - -
3. B - - - - -
4. H - - - - -
5. H - - - - -
6. H - - - -
7. H - - - -
8. L - - -
9. M - - - - - -
10. N - - - -
11. P - - - - - -
12. P - - -
13. S - -
14. V - - -
15. W - - -

43. BOUGHT AT

A DOUBLE PUZZLE
Solve the clues to find the list of words hidden in the puzzle. The answers are in alphabetical order.

```
T C P R K X Z A X L B S B H Y
E S V V V K B B Q N B Q A W M
K E O N W A C V B A G N E F G
C S N L T S W O F I D V B Y V
A A B T Q H T O L L H E H M L
R U E Z I N E X E S V S Y G P
B R W N M K C O L D A P L F W
Y L G C G M I O O R V L W A F
X E O N H I V N E P P O L P L
P B O D Q W E W D D V L L Y C
S K K H X V W W T P E U K A J
R B O W L A T Q A T G E J W F
A O C O H G G T D S X K R C U
V L O T H S I I P T P Y K I Z
I T A B U Q D F X L A J I I W
```

THE IRONMONGER'S

BAGS
BANK STATEMENT
BLOTTER
CALENDAR
CERTIFICATE
CHEQUE
CONFETTI
CRACKERS
DEEDS
DIRECTORY
ENVELOPES
EXAM PAPERS
EXERCISE BOOK
GAS BILL
INVOICE
KITCHEN ROLL
LABELS
MAGAZINE
MAP
MONEY
NAPKINS
NEWSPAPER
PARTY HATS
POLICIES
POOLS COUPON
POSTAL ORDER
POSTER
PRESCRIPTION
RAFFLE TICKETS
RECEIPT
SHEET MUSIC
STAMP
STREAMER
SWEET WRAPPER
TICKERTAPE
TISSUES
TOILET ROLL
WALLPAPER

```
Z K R X I H C R C T Y F Z E
J N P E R N A O E H C L X T
E O A E P D V S N I E E Z O
R P T P N P T O S F R Q N Z
N F A E K R A U I C E N U K
W E L T E I M R I C O T Z E
T A W A R T N S W I E P T P
C N M S E E E S T T O X A I
S E E E P B K P S O E M G S
R T H M O A I C L N S E E R
N S A O E R P S I E C P W M
P S K H C T C E I T O R S S
M U L S V O A C R L F E B E
Y S E E U T I T E O U D H T
O R G P B L R V S S B R N A
P W O A O A N A S K B O S C
O N J P B E L I P F N L I I
S T E K C I T E L F F A R F
F L N M P Q I Z K Q W T B I
Y L I X O U S Y I P A S H T
D O Z L S S R R T T L O A R
E R A R T L E O C P L P C E
E T G E E L P T H I P Y R C
D E A T R I A C E E A C A Y
S L M T Q B P E N C P A C E
K I K O E S M R R E E Z K N
W O Q L N A A I O R R W E O
X T N B M G X D L V K T R M
P M A T S D E U L J T S S Z
```

45. FIRST AID COURSE

AMBULANCE
BANDAGE
BATHE   DRESSING   RESCUE
BLEEDING   EXTERNAL   SCISSORS
BONES   FOREARM   SKELETON
BROKEN   FRACTURE   SLING
CARDIAC   INFLATE   SPLINT
CASUALTY   JOINTS   STRUCTURE
CLEAN   LIMBS   SUSPECTED
COLLAR   MOUTH   TREATMENT
COTTON   OXYGEN   UPPER ARM
CUTS   PRESSURE   WASH
               RED CROSS   WOUND

Puzzle submitted by reader J. Harris, Nantwich, Cheshire

```
S Q W X G J J D L S F G O P S K D K G P
B N D Q O L Y O E X C N M F M P D X F H
M W R I D S O B K C X I R R A L L O C G
I Z N L H T U O M V N A S S A C S I C N
L T N E M T A E R T C A E S N E K G N M
S G O C C B P W Y T K N L T O A R I C T
B K U P O U W E U V E B F U A R E O I T
N O N A G C T R Y K L C L K B L S L F D
T O N R D G E S O M Q J O Y D M F C C P
D D T E E K E R U T C U R T S K A N R D
E R Z E S D B J M F Q C N N T I H E I G
T E D C L I C R Z K K E F P D O S X R N
C S N H O E A R B X G S A R H S N T E I
E S U L K R K A O Y P S A C U V G E S D
P I O W E K T S X S F C J R E R N R C E
S N W P A H M O M Y S O E J Z M I N U E
U G P O E S Q Y T L A U S A C S L A E L
S U H H M Y H E G A D N A B V T S L F B
```

242

46. USE YOUR BRAINS

BELIEVE	FATHOM	PUZZLE
COGITATE	GUESS	QUERY
CONCENTRATE	IMAGINE	READ
CONSIDER	INVENT	RECALL
CONTEMPLATE	LEARN	REFLECT
DEDUCE	MEDITATE	REMEMBER
DELIBERATE	MEMORIZE	SOLVE
DEVISE	MUSE	THINK
EXAMINE	OBSERVE	UNDERSTAND
FANCY	PONDER	WONDER

```
S P R S T R E B M E M E R D O N C M V L
F U V M X C C S L M I N R I T C T S M Q
G Z M D J J E O S C U N E T A T I G O C
F Z G F S E Q L M H P S V T E C L M E M
D L K T X S U E F T Q O E E R K O U C M
G E V E I L E B T E E I M M M H G Z E D
U E V L O S R U X A R M N D T T Q E E N
E Z T I E M Y C G M R V P A E Y P Z N A
J T B M S A A V O S Z E F L S R L I I T
R S A K Z E R E F M P M B T A B R R G S
B E S T N H V M W E C A R I S T E O A R
Q J C Z I R N O M V H E E N L O E M M E
D L L A E D N S P M D M M M F E G E I D
E F Z S L D E D R I I Y Q T K K D M B M
D O B I E L A M S M G C M Q R L N G G U
U O F R R E M M A L M M N G M A P I M M
C U C P R K O X U S D A F F V Q T X M D
E C M Y L C E P M M F F J Z Y B P E C T
```

```
N O I T A C I D E M S W E C I S Y H P O
K L I M T O H R P U P S T E L B A T P Y
X V A O C T C Y T O X O W O Y T Y G O I
G C O S M A N C Y B R W S R L E R R I G
L L S P P U N A N A V D X S R A R E B Y
S O C L A I S T T U R D H U E L M T R C
H B Z O L R R T I S M P T G E T E A H O
X T E E U I A I A B E X S B U T D W O P
G R X M N G P C N R I G N E S O I Y N Z
A F P W O G H M E M D O N U S P C E E Y
R E E M R U E C H T I B T O J O I L Y P
G A C P E S T G A N A P A I C G N R V J
L J T I Q N U H H N Y M Y T C E E A D R
E C O G T O T A W L D K O H H S D B Q Y
S G R H C L L H A A S Y A L B E S O D S
O V A M H A U C O I S G R E P R Q Y P H
Q F N Q N I U O H L S H N O M E L T O H
T Q T T E E N W P O P M I X R Q V W P I
```

Puzzle submitted by reader Mrs. L. Roberts, Edinburgh, Scotland

47. COLD AND COUGH
REMEDIES

ANTIBIOTICS
ASPIRIN
BARLEY WATER
COUGH CANDY
COUGH DROP
COUGH MIXTURE
DECONGESTANT

DOSE
EUCALYPTUS
EXPECTORANT
GARGLE
HONEY
HOT LEMON
HOT MILK

INHALANT
LINCTUS
LOZENGE
MEDICATION
MEDICINE
MENTHOL
MOUTHWASH

MUSTARD BATH
NOSE SPRAY
PARACETAMOL
PHYSIC
PILLS
POSSET
POULTICE
SYRUP
TABLETS
WHISKY

48. THE ACCENT IS ON SPEECH

AITCH
ALLITERATION
ASPIRATE
BREATHING
BURR
COCKNEY
COLLOQUIAL
COMMON

CORRECTION
DIALECT
DIPHTHONG
DRAWL
EMPHASIS
EXPRESSION
GRAMMAR
HOITY-TOITY

INFLEXION
IRISH
LANGUAGE
MODULATION
OXFORD
PATOIS
PHRASING
PITCH

PRONUNCIATION
SLURRED
SOUND
STANDARD
STRESS
TWANG
UPPER CLASS
VOCABULARY

```
C S G M J Q V D G G Z F O J W J X G F U
S Q C R N O H O W L F N O I X E L F N I
C S I I A M J N C N A S G J D R O F X O
F G A H P M J C Q A R I I D P Q K E D T
C N N L C R M J R I B R U S S D A Y R C
Z I H H C F O A Z C T U U Q A R A C A E
G H O S P R F N R C S A L B O H L O W L
N T I T M B E U U T O E R A D L P M L A
I A T R Q O D P A N X R W E R V L M M I
S E Y E M B D N P P C F R Q T Y D O E D
A R T S S S D U R U L I E E I I H N C D
R B O S I A S E L A S C A T C R L J I N
H A I O R L S P N A O W T T A T I L H U
P N T D U S X G I C T W J S I R I S A O
G A Y R I N U T K T A I W N R O I O H S
P I R O B A C N M N C V O I Q G N P N T
I E N W G H E X G N V H N N K L A S S B
D U Z E O Y G G N O H T H P I D E L X A
```

245

49. ALL LIT UP

BULB
BULKHEAD
CANDLE
CHANDELIER
DIMMER
DOUBLE SPOT
FIRE LIGHT
FLUORESCENT
FLUSH FITTING
GAS LIGHT
GLASS

GLOW
ILLUMINANT
INFRA RED
LANTERN
LIGHT
MATCH
MINI-SPOT
NIGHT LIGHT
OIL LAMP
OPTIC
PENDANT

REFLECTOR
ROSE
SHADE
SPOTLIGHT
STANDARD LAMP
STRIP
SUNSHINE
TABLE LAMP
TIFFANY SHADE
TORCH
TRIPLE SPOT

TWO-WAY
ULTRA VIOLET
WALL LIGHT
WATTAGE
X-RAY

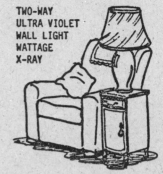

```
W E K J O K P M A L E L B A T S S A L G
T H G I L S A G J T W T Z T H C I T P O
O W H A M Y H X H V Q U S O G P Z T K R
S Z O Y T C A G Q P B H F R I Z I T E P
D S U W T T I R S Q A I U C L F N I M V
E U H A A L A E X D R F W H F E L A B R
R N M R T Y L W E E L P I A C E L E E O
A S E H R B S T L U M Y N S D L L S D T
R H G U U P O I S A T Y E N I D O A S C
F I P O I P G H L P S R A O N R E D P E
N N D R S H F D F H O H I A A H P I E L
I E T I T I R M A U C T C P K E L M N F
P S N H T A C D L N T B L L L Z B M D E
B I H T D W E F N G L Q U I W E C E A R
M A I N N R E T N A L B L L G O S R N E
X N A G Z T H G I L L A W B H L P T F
G T V T E L O I V A R T L U X A T G O R
S I C W X T N A N I M U L L I C J N Y T
```

246

50. WARS

AMERICAN CIVIL
ARAB-ISRAELI
AUSTRIA-HUNGARY
BALKAN
COLD
CRIMEAN
CRUSADES
ENGLISH CIVIL
FIRST WORLD
GALLIC

GRAECO-PERSIAN
GREAT NORTHERN
GREEK
HUNDRED YEARS
HUNGARIAN
INDIAN MUTINY
ITALIAN
JACOBITE
KOREAN
MEXICAN CIVIL
NETHERLANDS

OPIUM
PARTHEIAN
PEASANTS REVOLT
PELOPONNESIAN
PENINSULAR
PUNIC
RUSSIAN
SAMNITE
SECOND WORLD
SPANISH
THIRTY YEARS

```
N A I S R E P O C E A R G A C D O T P P
M U I P O E Y S C B C D M W L X Z B E S
T Z I I V P N I D S A E L R W I E A G E
H Y C N B N L G A N R L O O A T S S R C
L R R M D L H M L I A W K R C A M P E O
I P H A A I N S C I T L A A N L K A A N
V E U G G I A A R S S B R T N I E N T D
I N N T T N N N R A I H S E I A E I N W
C I E P C U I M S E R C J H N R S O O
N N A Q I U F H R U E Y N I K T G H R R
A S R V Q H N A A V T N D A V L E G T L
C U I V S K E I O I I I A E I I Z N H D
I L A C O L M L C N R B N E R S L Z E C
X A N R I N T Z G F S T Y Y M D S G R J
E R E T I B O C A J K W S I Q I N U N Q
M A M N N A I E H T R A P U N A R U R W
N A I S E N N O P O L E P Y A H F C H O
S E D A S U R C F S R A E Y Y T R I H T
```

HARDER PUZZLE SECTION

WELCOME TO THE HARDER PUZZLE SECTION
The following puzzles are more difficult. Usually there are no lists to guide you. See how many words you can find and then check your list with ours at the back of the book. With some puzzles we have given you either a partial list or a clue as to how many words are to be found. We think you'll find these fun to do.

Take the **FAMILY** for a holiday and enjoy a week at the seaside. You can have a stroll on the **BEACH**, or have a seat in the **GARDENS** and see the **FLORAL CLOCK**. You can also have a snooze in your **DECKCHAIR** and then look for the thirty-eight factors hidden beneath the **WAVES**.

51. AT THE SEASIDE RESORT

```
S K L O O P K C O R Y J K J T E K C U B
W S E L K N I W Q E Y L I M A F L W K V
A N I R A M E S K C O L C L A R O L F S
R E L L E T E N U T R O F H M J R L L C
Y X L L A B O P M Q X F L E C I W T B S
W E B E L D I U Y A H T W L A L Q O A H
S A L F R H V N U T E T B H U S I F R Z
S N V T S M N C A E E R C E I G S F C T
L H E E S F S H S N K K C D A S A E F R
I R N D S A N A G U C A E E O C G E I S
G C O M R U C N S E N S L L C R H A S S
H O I S S A I D D E H G F G U I F P O E
T C T C A H G J N O A Y L O N N Z P B L
H K O L S N H U W A D W B A U I L L T B
O L L I P L D D R N S R E F S F T E W B
U E F T A U F Y A B A L C E V S I A T E
S S J I D S Z C D H V H J P D W E S O P
E J G A E G Z D N A T S D N A B Q S H B
```

248

52. SPECIAL TIMES

Join in our party and celebrate your ENGAGE-MENT or your BIRTHDAY. You will get your PRE-SENTS and then the guests can raise their glasses and drink a TOAST. You can also enjoy your RETIREMENT. Find all thirty-two hidden answers.

```
C W X G L S A M T S I R H C U G Y E Z B
Z W W F N D G S T S T Q I M R Y M I V S
A A U C I I E N J S D N P W Y V M G P K
W Z Z N E H C H I C A R E O T E V H T N
G N N G C L O N O D T O A M N O Z T T I
Y E X E N L E M A V D Y T C E N Y E D R
R U E Y I I I B I D W E G Y M R D E C D
C P N D A N N K R E W P W V E Y I N X S
S A A O G N J E L A R D V T G A L T A F
S Y R O I U A C T E T I C S A S U H E P
Q E U N B T O M S S C I U E G R E T R R
T T G I I M P E G T I P O U N E E V X A
O P L N E V N E O O P R H N E V Z D O N
T E D H I T A R C E H W H W K I G Q R E
E V O C S B Y L R E T R J C I N R A A J
K M P Q R E T S A E R X S R B N L P R U
E T S A E F S A R G I D R A M A E D W M
B S L I A T K C O C F Y A D H T R I B N
```

53. COSTUME

Dress up in some of the clothes hidden in this puzzle list. You will find a KILT, a SKIRT and a pair of GLOVES. Try on a new DINNER JACKET, or some WAISTCOATS.

B - - -
B - - - - -
B - - - - -
B - - - - - - -
B - - - - -
B - - - - -
B - - - - -
C - - -

C - - - - -
C - - - - -
C - - - - -
C - - - - -
D - - - - - J - - - - -
F - - - - - C - - -
F - -
G - - - - - -

G - - - - - -
G - - - -
H - - -
J - - - - -
K - - -
M - - - - - S - - - -
M - - -
N - - - - - - - - - - -

O - - - - - - - -
P - - - - - - - -
S - - - - - - - -
S - - - - - -
S - - - - - - -
S - - - - - -
S - - - - - - - -
T - - - - -
T - - - - - -
T - - -
V - - -
W - - - - - - - -

M A B G Q D D G C J C G O F U Z H H S X
E H E J O N I A P C P T L T L I K G T B
L I F E H W P N O Y F S Y W T F N Z H S
D N X R O E N L N R F G E A A I W T G K
R I D K S T L O O E T O V H K H E L I I
I K B I E A V C I A R A G C C S S M T R
G I E N R E K H O E R J O L R E C S O T
F B L Q R C C C L C E T A O O C E C S N
C R T C O R I O Y S S F C C F V I R E N
O Q O A E T B T M T O T V Y K F E N B W
I A T K T X L S B A B R S V M E U S U T
T S C E C V O E U O L I V H Z I T M R T
J E P L J B O V G C A K X B O J B O U J
N D O L L M M U K T Z S S R B R U J E D
T A D O N G E V B S E I N U D S T W R L
K J U G N O R A S I R N X F E N M S Q M
M S I D T T S M W A U I N R E N G P B B
E Y I D Z L W W A W E M S S L A D N A S

250

54. GRAND PRIX

Feel the excitement of a motor race and watch the drivers putting on their GOGGLES and SUITS, and OVERTAKING each other. You can salute the WINNER, and have a drink of CHAMPAGNE with him, and then visit the PITS. There are thirty-eight answers hidden in this puzzle.

```
T I R E D A E L D D E N I G N E T G W W
O W X Y I M T E N O I T A R E L E C C A
I S R O T A T C E P S S T I U S M C Z T
P K S O T R A T S P Y G F D O M L P T L
O C T B V N Z H M B R I L B F S E O L A
L H I A D E S R A K N A R O L L H I N P
E A P F C R R R T I G U C A V J K N W N
P M F V A R R T S E T O H T H E D T S G
O P C E D I A H A B T S G P I T S S I N
S A G O E A S S R K R V S G M C F W L I
I G H R R I R E H A I P M E L N E S V K
T N S P G N A H M S E N C S V E N M E A
I E X N T K E R T E A H G S R J S A R R
O N A E D X E R D D A F G Z R Q E E S B
N L C O M N O V I N G A E H H Q R T T A
S A W U N P U E I N L N O T D O Y Y O P
R N D I H Q X C P F G D E M Y S T K N C
O U W Y B T S Y J U N O I P M A H C E S
```

251

55. PUDDINGS

We will make your mouth water with this puzzle about puddings. There is a FRUIT SALAD, a TREACLE TART and an ICE-CREAM. You will also find some TAPIOCA and a pink BLANCMANGE. Find all thirty-one.

```
J N U S J L T I L P S A N A N A B V Q J
B E C U E S O N X O T A S D E M A E T S
E D L R A I H O I X C A B E G R X W E A
L C U L U L P N F O T L S M K K B D C N
F O C M Y M O T I Y A V U N G A A J I O
I I U P P R B P Z C R Z I T A L C C R E
R A S J A L A L K Q D R R O A L H N U U
T Z T C F T I B E R V E E S F O F G A A
Z B A A N S E N A F A E T B C K N A P P
N M R R S R T S G C G I T O E I K P H I
S L D K R S P R L N U J L A R S L U E C
J P D Y M B O E A R T A U E V E O S Q E
H Y P U E B T M F W T E M Q P V S O R C
T I L R S A C K G E B N U I F U G P G R
E P R R R N L L E C O E E S O A U L K E
Z Y A T A F X Y K M O J R M S S X X R A
J E X L U L D V E Q R O B R A B U H R M
P W B A Y H M L U U Y L O P Y L O R K F
```

1. GO TO BED

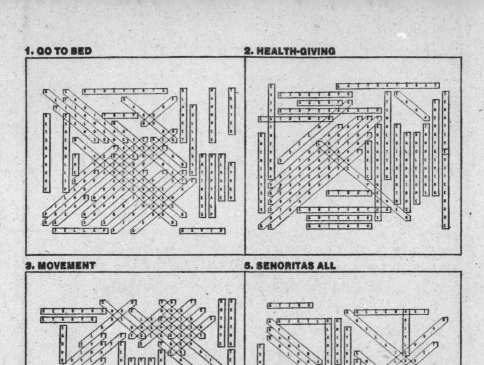

2. HEALTH-GIVING

3. MOVEMENT

5. SENORITAS ALL

6. BY THE SOUND OF IT

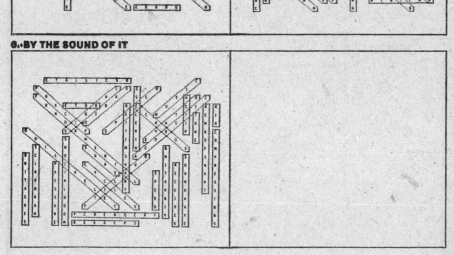

7. MONEY

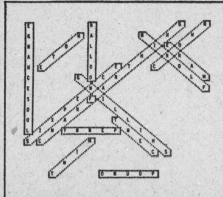

Cent
Crown
Dollar
Farthing
Florin
Franc
Loose Charge
Mark
Mint
Note
Penny
Shilling
Sixpence

8. SOUP FOR LUNCH

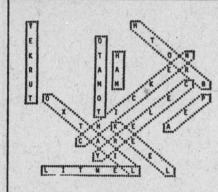

9. IN SUSSEX

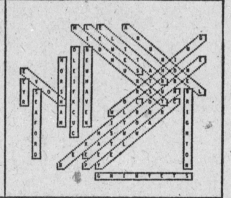

10. IN HOLY ORDERS

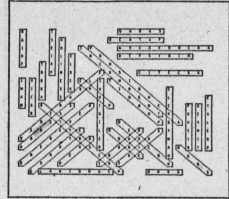

11. IN YOUR CAFE

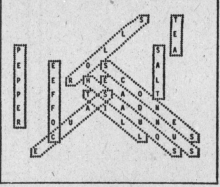

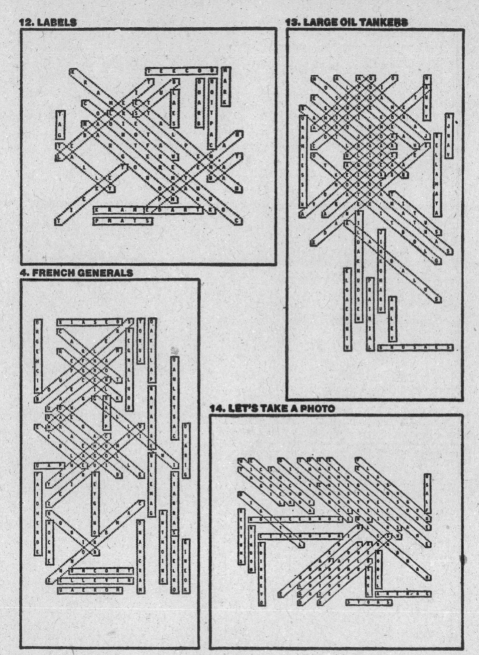

12. LABELS

13. LARGE OIL TANKERS

4. FRENCH GENERALS

14. LET'S TAKE A PHOTO

255

15. GOVERNMENT RESPONSIBILITIES

22. WASHING DAY

17. CRACK

16. BUTTERFLIES

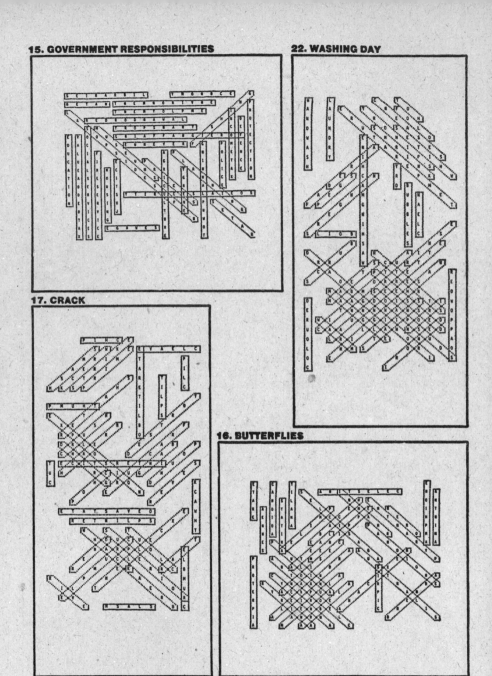

256

18. WELSH NAMES

19: NEGATION

20. WOODWORK

21. SCRIPTS

23. SERVING.....

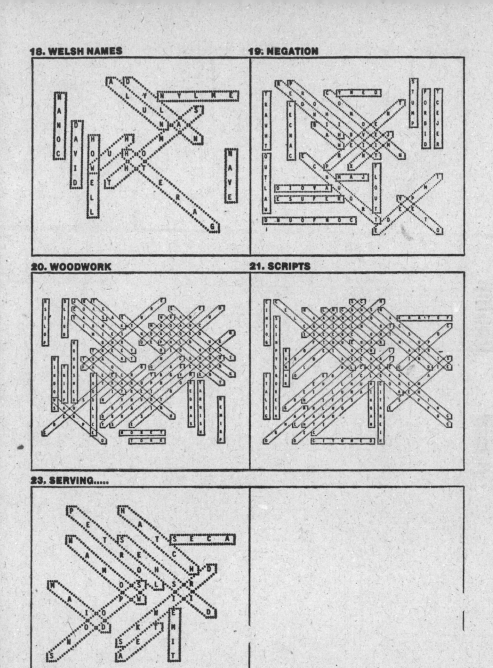

24. PLAGUE

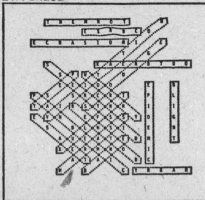

25. BISCUITS

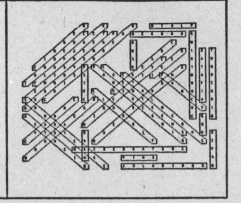

27. TAKE WING

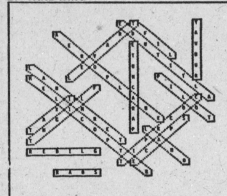

Aeroplane
Altitude
Cockpit
Flight
Glider
Helicopter
Land
Lift
Parachute
Pilot
Runway
Soar
Space
Taxi
Terminal
Travel

28. RITUAL OBJECT

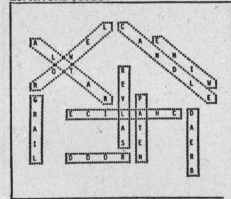

29. CHINESE ART

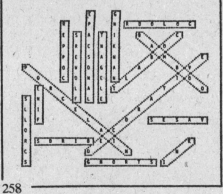

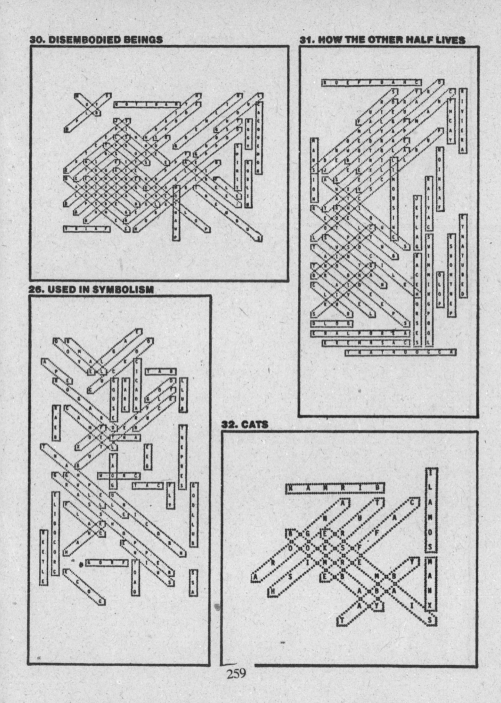

30. DISEMBODIED BEINGS

31. HOW THE OTHER HALF LIVES

26. USED IN SYMBOLISM

32. CATS

259

33. IN THE ROSE GARDEN

44. IT'S ALL IN PAPER

36. TRUE OR FALSE?

34. NOT CARING

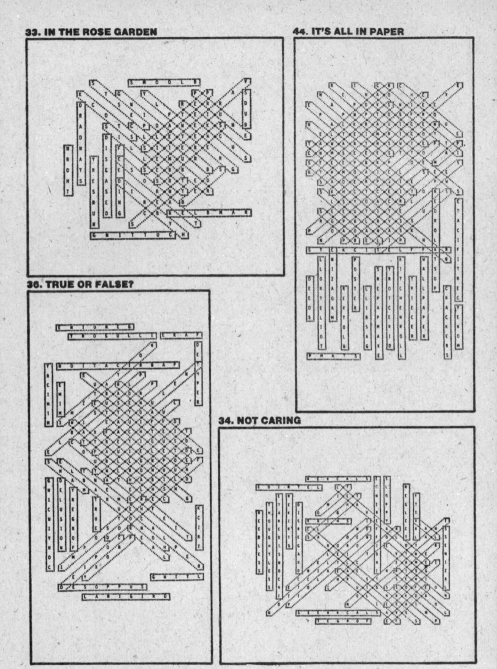

260

35. NOT FEELING AT ONE'S BEST

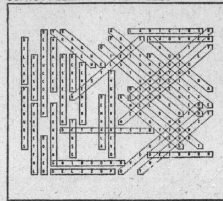

38. ICE

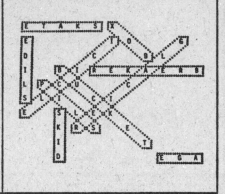

37. HELP IS AT HAND

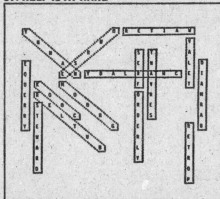

Barmaid
Butler
Charlady
Cook
Equerry
Groom
Nanny
Nurse
Orderly
Porter
Serf
Servant
Steward
Valet
Waiter

39. SNOW

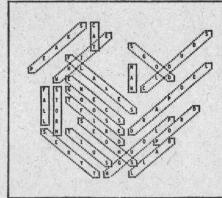

40. LONDON 'HOUSES'

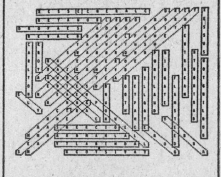

261

41. LACKING SKILL

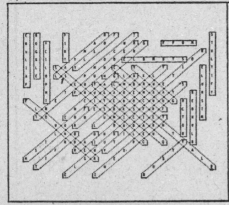

42. ON BUDDHISM

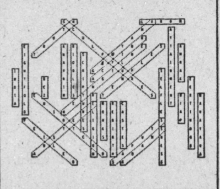

43. BOUGHT AT THE IRONMONGER'S

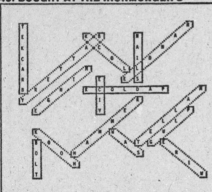

Battery
Bolt
Bracket
Hammer
Handle
Hinge
Hook
Lock
Mallet
Nails
Padlock
Plug
Saw
Vice
Wire

45. FIRST AID COURSE

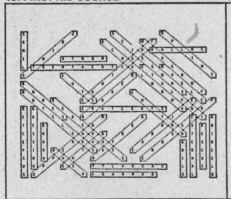

46. USE YOUR BRAINS

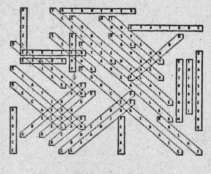

47. COLD AND COUGH REMEDIES

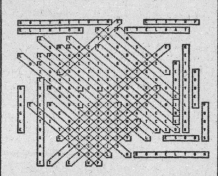

48. THE ACCENT IS ON SPEECH

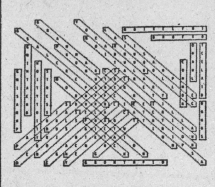

49. ALL LIT UP

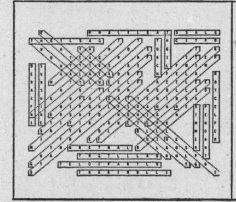

50. WARS

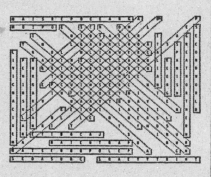

HARDER PUZZLE SECTION

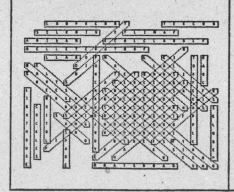

51. AT THE SEASIDE RESORT

Ball
Bandstand
Beach
Boating Lake
Bucket
Candy Floss
Cliffs
Cockles
Crab
Deck-Chair
Donkey
Family
Fish

Fishing Net
Floral Clock
Fortune Teller
Funfair
Gardens
Harbour
Ice-Cream
Lighthouse
Lotion
Marina
Pebbles
Punch and Judy

Rock Pool
Sand
Sandcastle
Seagull
Seaweed
Ship
Sideshow
Spade
Sun Hat
Sunglasses
Toffee Apple
Waves
Winkles

263

52. SPECIAL TIMES

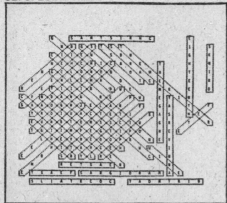

Anniversary
Binge
Birthday
Cards
Carnival
Celebration
Christening
Christmas
Cocktails
Coming-Out
Dancing

Dinner
Drinks
Easter
Eighteenth
Engagement
Feast
Fete
Hogmanay
Holiday
Jubilee

Mardi Gras
Presents
Reception
Retirement
Speeches
Supper
Toast
Victory
Wedding
Welcome Home
Wine

53. COSTUME

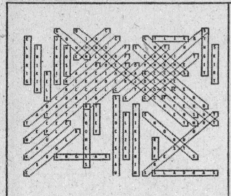

Belt
Bikini
Blazer
Bloomers
Blouse
Bolero
Breeches
Cape
Cloak
Collar
Corset
Cravat
Dinner Jacket
Frock Coat
Fur
Girdle
Gloves
Gown
Hose

Jerkin
Kilt
Mini-Skirt
Muff
Neckerchief
Overcoat
Petticoat
Sandals
Sarong
Shawl
Shorts
Skirt
Stockings
Tights
Trousers
Tunic
Vest
Waistcoats

54. GRAND PRIX

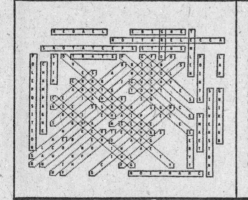

Acceleration
Barriers
Braking
Breakdown
Champagne
Champion
Cornering
Crash
Engine
Finish
Flags
Gears
Gloves

Goggles
Grid
Helmet
Lap
Leader
Marshals
Mechanics
Overtaking
Pits
Points
Pole Position
Practice

Race
Safety
Signals
Silverstone
Spectators
Speed
Start
Suits
Teams
Trophy
Turbo
Tyres
Winner

264

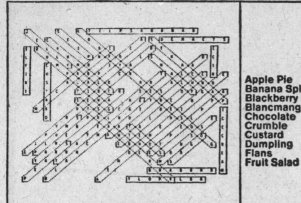

Apple Pie
Banana Split
Blackberry Pie
Blancmange
Chocolate
Crumble
Custard
Dumpling
Flans
Fruit Salad

Gooseberry Fool
Ice-Cream
Jelly
Lemon Meringue
Macaroni
Mousse
Pancakes
Pears
Pies
Plums
Raspberry

Rhubarb
Rice
Roly Poly
Sago
Steamed
Strawberry
Suet
Tapioca
Treacle Tart
Trifle

265

WORD SEARCHER

Answers to this section on pages

284 – 288

AT THE WEDDING

BELLS
BEST MAN
BOUQUET
BREAKFAST
BRIDE
BRIDEGROOM
BRIDESMAID
BUFFET
CAKE
CARS
CERTIFICATE

CHURCH
CLERGYMAN
CONFETTI
DANCING
DRINK
FLOWERS
FOOD
FRIENDS
GREETINGS
HORSESHOE

HOTEL
HYMNS
MUSIC
ORGAN
PAGE
PRESENTS
REGISTER
SERVICE
TOAST
VEIL
WITNESS

```
G B D N A G R O S P N K R D P S G B T N
I L E N V F E A Y D J Z G N X B U Y Y S
O B P S B Y L X Z K N J V D Z F E L L O
K R R W T N A M Y G R E L C F T W L C F
W I T E I M I L E G S T I E A Z E O V N
I D F C T T A B K O T S T R W B W U U K
S E V E D S N N A K N A A V F F J S C B
K G Z R D A I E C J E O F O E Q I H R E
H W N T T H N G S P S T B T S C U I N C
O W R I A E F C E S E I T Z T R O O D I
R N Z F T P U A I R R I X S C E O R S V
S K R I O E A Q T N P U A H S R I S R R
E S W C D F E G U J G F D N G N H R E E
S S M A H O O R E O K N A E K J Y Z W S
H L O T O R O Z G A B I D J L Y M Z O G
O V D E T G R F E P D I O I Y L N M L Q
E W P P E P N R A P R X E Q N Z S S F U
V A L G L F B O U B D V M P S R A C U D
```

268

TIME

AEON
AGE
ANNUM
CENTURY
CYCLE
DATE
DAY
DECADE
DURATION
EPOCH
ERA

FLOWERING
FORTNIGHT
GENERATION
HOUR
INTERVAL
LEAP YEAR
LIGHT YEAR
LUNAR MONTH
MILLENIUM
MINUTE
MOMENT

MONTH
OPPORTUNITY
QUARTER
SEASON
SECOND
SPACE
SPAN
SPELL
TERM
WEEK
YEAR

```
V H R R U H M D G B Y A D K C H C O P E
G S B A C K E O T H G I N T R O F Z W E
H P W D E X Y C M L K M V T Q X H E F M
I A I U P Y R V A E E R I X Y Y E L L I
N N Y R W C U V C P N E L N O K O E Y N
H E X A J B T F Q O S T Q X U W X L T T
A S G T H T N O M R A N U L E T K C I E
S E X I F W E L A L C D W R F G E Y N R
L N O O Q L C E F G Q C I Q R E F C U V
Q I E N K U Y S G Z W N R K L N P M T A
S S G D I P A H S U G Q H L W E S R R L
U E Y H A M V R I E A R E Z X R W E O W
U F A E T C H N T P C P D X Z A M T P S
F Z L S Q Y E O O E S O K H C T O O P U
D W M T O L E D U Q R E N W O I N X O P
Y A Z S L N U A Q R G T A D H O T Y T A
X K T I J U S K R B M U N N A N H C C G
W W W E P A O W O U K S C W X M C E N E
```

269

IMMACULATE

```
I E S W K R K R G D H C N P T
D N T U S E H F H L M U C C Q
S S N S O J L B T T N X J L G
D S W O A U M B H T S O U E O
E E E O C H T D A I Q N D A D
I L T L O E C R N C B Z X M S
L W C P N P N L I L C K C L U
L A E R P I E T E V S E Y W N
U L F U S S A M F T P M P C S
S F R H S G I T W Q O S W M O
N E E X P S F L S F T G K X I
U D P S H W W N P S L E E V L
Z F L E T S O L N W E X M A E
K W D F Y W B V H D S U Y N D
B V T T Y G Y M Z U S W C H M
```

CHASTE
CLEAN
FLAWLESS
IMPECCABLE
INNOCENT
PERFECT
PURE
SINLESS
SNOWY
SPOTLESS
STAINLESS
UNBLEMISHED
UNSOILED
UNSULLIED
UNTARNISHED
VIRTUOUS

DIRTY

FILTHY
GRIMY
GRUBBY
POLLUTED
SOILED
STAINED
UNCLEAN
VILE

```
J P U D W H L J N X S
C G Y I E N U A A O G
P C M X S T E N I Q Z
G X I N D L U L Z D P
E H R M C Y E L E N W
Y W G N W D B N L T C
Y B U W I Y I B U O L
J J T G S A H N U M P
Z A U G T C S W R R L
M E F S W Q M N Y V G
Y H T L I F E L I V B
```

270

ACCOMPANIED
BAND
BEFRIENDED
BRIGADE
CLASS
CLUB
COLLECTION
COLONY
CREW
CROWD
DIVISION
DUET
ESCORTED
FAMILY
FLEET
FLOCK
GAGGLE
GANG
GATHERING
GROUP
HERD
HORDE
HOST
MOB
NEST
NUMBER
ORGANIZATION
PACK
PARTY
PLATOON
PRIDE
QUADRUPLETS
SCHOOL
SECTION
SELECTION
SHOAL
SWARM
TRIO
TRIPLETS
TWINS

```
Q T E E L F B N P U S P S H
N E D R O H U V P S T C C D
M R A W S M U Y E R H S X U
H A A P B A S L I O T D S Y
O C D E G B E P O E R D B X
S I R E E C L L L E E A F X
T A F E T E O P H I T O A W
S C Z I T R U L N Y T R A P
P T O S S R O A O N X G F F
F N Z H D F P C R N V A X N
B K O A A M E K S L Y N O X
U A U M O Y W S T E L I R T
L Q I C C N Z S V E S Z Y R
C L C R R O N A L I T A Y I
Y A E S Z I N T V G E T T O
S W O K W T S I D U H I E G
P E N T V C D V E N O O U S
U N R J B E P Q D N E N D Z
V E S S A L C N N O P S E A
P B L O N L W W E I W K T R
X R O G F O C J I T K M Y Y
B Q I M G C V B R C Y A D Q
U Q K D R A G B F E E B P F
I O Q Q E K G S E S M A A J
E D A G I R B A B K P N C Q
R K P U O R G I N D C D K K
P G N I R E H T A G K O O H
G Q Q D W O R C C Y X W L C
H Y O G Z Y N O O T A L P F
```

271

WITH THE BANKERS

ASSETS
BANK ROLL
BANK-BOOK
BANK-NOTE
BILL OF EXCHANGE
BUDGET
CAPITAL
CASH
CHANGE
CHEQUE
COINAGE

COMPUTER
CURRENCY
DEPOSIT
FINANCE
FUNDS
GILTS
GOLD
INVESTMENT
MANAGER
MONEY

PENNY
POUND
REPORT
RESOURCES
SAFE
SECRETARY
SHARES
STATEMENT
STERLING
STOCK
VAULT

```
S G L U J G Y T X R P B Z B S D N U F S
T F B L Y E W C I K O O B K N A B P A Q
E R K A G Q M R N S K S H S E R A H S W
Y G B N N J E O C E O G T Z S I C P S S
A E A W K G G N O R P G C T P D T E T
L H B N G T N A E E M R E G A N A M T L
C H F O I I A O B F Y P U D T S F N S I
E W L T L O H U T S A T U C E G D M K G
W D G R C R C H N E E S S T M G S C N R
O M E O Q Z X T E B Z C M Y E I P D E T
X T S P M R E T M X E A R E N R C S V E
S E U E J G F P T S V P L E T N O Z G U
J C U R D G O C S V Q I B E T U E P P Q
T N M U U U L D E Y M T G K R A S P T E
F A B H N Z L A V V L A S C C J R L V H
R N X D P B I O N W G L E F W O U Y R C
O I I L X I B D I X A S Y O I A T C P Y
T F F U R V L L O R K N A B V T H S A C
```

EMINENT

```
D E T A R B E L E C G E F S T
T N E L L E C X E G T S L U N
G F T D I S U O M A F F L D U
Q G T T E L Q D E S N E I S O
P A N M C R L R E L L S Z V M
L N O I V O U U A M T D R M A
C T O O D A N O S I E E V X R
U S D T L N H S N T N E N X A
V O T V E I A G P O R V T N P
A M D O V N U T N I H I O S H
R E N J P I O N S M C T O T E
Q R O N S P E R J T A U E U J
F O A H K D I L T B U O O K S
T F E D N Z F N L H F O Q U S
S D D E T O N E G Z V K V S S
```

CELEBRATED
CONSPICUOUS
DISTINGUISHED
ESTEEMED
EXCELLENT
FAMOUS
FOREMOST
HONOURED
ILLUSTRIOUS
LAUREATE
NOTABLE
NOTED
NOTEWORTHY
OUTSTANDING
PARAMOUNT
RENOWNED
TOPPING

OBSCURE

APART
CLOUDY
DARK
DIM
DISTANT
GLOOMY
OCCULT
REMOTE
VAGUE

```
F M H T D K B N Y F V
Y S Y G L F W X Q E X
T E W F D U T U B J H
E L V A A N C B A P C
U Y R A A G K C S W D
M K D T G I Q B O R Y
I B S U T U E I I O M
D I U O O R E N N D O
D C G P F L A P T G O
Q Q T E V U C P R E L
E T O M E R S J A G G
```

AMOUNTS REQUIRED

AGGREGATE
ALLOTMENT
APPORTIONMENT
BATCH
BIT
DOSE
DROP
ENTIRETY
ESTIMATION
FRACTION
GALLON
HEAP
HUNDREDWEIGHT
KILOGRAM

LITTLE
LOT
MAJORITY
MEASURE
METRE
MILE
PACK
PARCEL
PINT
PORTION
QUANTITY

QUART
SUM
TON
TOT
TOTAL
WHOLE
YARD

3 kilos of mint humbugs please!!

E B P G L O I O K Z E P L L A S L Z U Q
A P G A A R D X K V R A W Q T O T Y M R
C Z R T R K B Q B S T E V E T F T E I C
A L J M W C U A P O E H D L X I R V L E
I M N G A A E L T A M W N S T I F D E E
E G X O R P T L M C M Q M N X P O L F S
T G M T I J P H T M H A A O I S G I Q T
A D A W K T X O G L F U J N E C Z T Q I
G Q A L I K C E R I Q T T O H Y X T U M
E N W X L Y G A R T E S N V R I H L B A
R I H Z O O P Y R U I W S E H I O E T T
G M O U G O N T B F S O D A M Z T C P I
G U L O R R R E I B E A N E H T M Y O O
A S E T A S P R T S V O E M R M O T R N
M F I W M R Y I X Z T K L M E O Z L D I
M O M O G D W T U T C U M V I H N D L Y
N W B H G C I N J A O U F S N E T U S A
P D R A Y U T E P K W T F I A P R Q H T

274

FIGHT THE GOOD FIGHT

ARGUE
ASSAULT
BATTLE
BICKER
BOMBARD
BOX
BRAWL
CLASH
COMBAT
CONFLICT
CONTEND
CONTEST

DEFY
DISPUTE
DUEL
ENCOUNTER
ENGAGEMENT
FEUD
MATCH
OPPOSE
PROTEST
QUARREL
REPULSE

RESIST
ROW
SCRIMMAGE
SCUFFLE
SKIRMISH
SPAR
STRIVE
STRUGGLE
WAR
WRANGLE
WRESTLE

```
V H W D N E T N O C T V S Y D B M J A C
Z K O A J R A N K U Z G L F R O Q E M O
I D R Q R P T S E T O R P X S X R R C M
E R D K N D M H F P H A I C W Q T Q L B
T A E L G G U R T S R S U W Q H U M A A
U B E V I R T S W G O F I E F A Y I S T
P M T U A X O T U L F G Y M R N M L H M
S O C T S I S E R L R B H R R C W E D J
I B E L G Y F V E T I V E H O I B U L X
D T T C I L F N O C N L X N O A K D W S
X U L H S F N W K C A E T J T E A S A C
B R S U P E H E R F F E M T O L M S R R
L E O G A Y R B H E S E L E I G W D B I
M P P W R S H V W T S E U K G N N K L M
A U P Y C B S V K G B T R D U A O I U M
T L O E Q F K A A M O Z L Z U R G O R A
C S S R E T N U O C N E P E S W D N S G
H E E N L K E Y F E D O Z W Z Z C A E E
```

MAKE SMALLER

ABRIDGE	DECREASE	HUMILIATE
BANKRUPT	DEDUCT	LESSEN
BREAK	DEFLATE	LOWER
BRING DOWN	DEGRADE	PHASE OUT
CHEAPEN	DEMOTE	PUT DOWN
COMPRESS	DEPRECIATE	SHAME
CONQUER	DEROGATE	SHORTEN
CONTRACT	DETRACT	SUBDUE
CURTAIL	DEVALUE	SUBTRACT
CUT	DIMINISH	TRUNCATE
DEBASE	DISCREDIT	WIND DOWN

```
N E T R O H S Y E T O M E D K T E X H C
Z E E N C F T C C R H N Z G A I V B O C
C D T P I C S A Y U N E U R E D F M N N
G A K C A X R K N N V S M K R E P J D W
S R M R A T T L X C D S E Y B R F F E O
O G T W N R I U N A V E N G E C T Z V D
A E E O E A T P O T U L B S D S U L A T
D D C T T T X B E E R N S A G I C O L U
U O E R A X A E U S S E W V S D R V U P
E T U P L L T I J S A A W O A E P B E N
F C D V R A F H L W C E H O D O B L A U
K D E I G E E E I I R G R P L G A C R W
E Q E O M D C N D Z M H Z C E S N Y P W
K M R D K I D I C Z R U Z I E X K I M L
X E A S U D N A A B M X H X N D R X R Q
D R F H O C S I P T A E E U D B U S Q B
Y L U W S D T S S R E U Q N O C P B Y F
O S N W W E P A E H C N B M T E T O M M
```

ALL AT SEA

AFT
AMIDSHIPS
ANCHOR
BALLAST
BEAM
BEARING
BILGE
BRIDGE
BULKHEAD
BUNK
CABIN
CABLE
CAPSTAN
CAPTAIN
COMPASS
CREW
DECK
DERRICK
DINGHY
ENSIGN
FATHOM
FORE
FUNNEL
GALLEY
GANGWAY
HATCH
HELM
KEEL
KNOT
LEEWARD
LIFEBELT
LIFEBOAT
LOG
MATE
POOP
PORT
QUARTERS
RADAR
ROLLING
SALOON
SALVAGE
STARBOARD
STERN
TACKING
WAVE

```
K F Q X W K L E N N U F T S
K C E D U P C R P Y B W A H
R M E R O F A I S Z Q A D J
R O T O G D H T R U X V Y B
D H P L A A A E A R D E A W
M T Q R I R L R L T E L P T
B A L Q B F T L D B L D A D
G F E O I E E I E A A O U K
W Y A B R S N B S Y B C N W
R R G S A G Q T E E X U V G
D Z C L H N Z D F L B M Z H
S U O Y C I I I I D T A E X
N O W A Q L L P B S A L H M
N G B O M L C F U S M F C B
D I I U Y O K L L A A G T S
N Q K S S R E W K P P O A Y
E U A O N E I O H M T L H A
P T J M W E T S E O P O N Q
W D A A T R O P A C W C N Y
E E R M A L S A D L H X A K
X Q R I C E P U E O E W Z C
W Y E C K P I S R G G E A Q
U Q G B I C H V T N D P K L
O H A A N A S V A E S I Y O
K O V F G P D G U T R A R K
B U L V H T I K A U K N X B
E L A I N A M N Y C E B B U
Z I S K G I A G N I R A E B
H Y P D K N E G L I B K H U
```

277

LEVY

```
P Y E C T F F B T S E R W Z A
E N E Q H T S Z J H Z C O T A
T H O R G A J K N R I O Q S C
X A T I I W R K G V E F S S X
R U V I T U R G L Q S E G N J
B O G T T R Q H E N S I D Q X
W E H B O P O E V S J M N A R
M S Q E B T E T R K W P O T L
U E G B M D C R X T M O I R L
S U R O N O K E E E G S T I O
T D T A L J Y Y L V P E C B T
E Y M A A V A K W L E Z A U H
R E E H X V L I F S O N Q T Q
D K J S U N T J B O V C U E R
E J P N P X X J N H F M D E A
```

ACTION
ASSESS
CHARGE
COLLECT
DEMAND
DUES
EXTORTION
IMPOSE
MUSTER
REQUIRE
REVENUE
SEIZE
TAX
TITHE
TOLL
TRIBUTE
WREST

GIVE AWAY

BESTOW
BETRAY
DISCLOSE
DISPENSE
DIVULGE
DONATE
REVEAL
SPARE
UNCOVER

```
D C X Q Q S S Y Z W G
I P V O E V A B V O D
V L K R U R A D X T S
U U N D T M O N E S E
L I N E I N Q S C E R
G J B C A S N K Z B E
E S W T O E C Q Q E V
D E E J P V I L R H E
P O G S B S E A O P A
B Q I C S W P R L S L
T D E S D S O R X L E
```

278

RAW

BITTER
BLEAK
CALLOW
CHILLING
CHILLY
COLD
CRUDE
FRESH
GREEN
HARSH
IMMATURE
IMPROPER

INEXPERIENCED
NATURAL
NEW
PIERCING
RARE
ROUGH
UNBAKED
UNCOOKED
UNDISCIPLINED
UNDONE
UNPAINTED
UNPREPARED

UNPROCESSED
UNREFINED
UNSEASONED
UNSKILLED
UNTREATED
UNTRIED
VULGAR
WINTRY

```
Q L A R U T A N U X L G N I L L I H C U
U S H O L L A C H R E T T I B F P F H V
N N P I H O U M P G N I C R E I P P C D
S E H N A R Y U R U V N F D S Y A O E H
K G A E L Z L Q O T H R H F E I X T L E
I H R X O A L D C H L R Z G H I A J U K
L T S P S R I Y E U E J E T U E R H H K
L Y H E N C H B S N U E E F R O C T H F
E Z I R R G C F S S I D R T I O R Z H U
D O V I R F J L E E R L H U O N J Q H U
B Z P E B A U D D A G U P K T R E P E H
E B E N Z K U E R S D K E I E A R D I C
B N M C U R K E U O C D V P C E H H E S
B L X E C A R N H H E I O U P S T H X H
A L T D B O D U N E Y R H A L R I Q I V
N S E H M O P S P D P X R M Y G C D V I
G E U A N J H E N M G E O R O Q A O H A
O D H E K P G S I G D C J D L O C R E U
```

OBSERVE

ABIDE BY
ACKNOWLEDGE
ATTEND TO
CELEBRATE
COMMEMORATE
COMMENT
CONFORM TO
CONSECRATE
DISCERN
ESPY
EXAMINE

FOLLOW
HEED
HONOUR
KEEP.
LOOK
MENTION
NOTICE
OBEY
OPINE
PERCEIVE

REMEMBER
RESPECT.
SANCTIFY
SCRUTINIZE
SEE
SOLEMNIZE
STUDY
SUBMIT TO
SURVEY
VIEW
WATCH

```
N Y X X W N N H W A J J Q T Q E Q F P M K
X R P D H A I E E T A R C E S N O C E E
K M E B C N T T E C A X S O I Z T L N E
K F I C Z O A C X D R B F K S A I N P
O I I W S R N N H G E O I C D T P M Z K
O S C H B I V F A S L Z O D N O N U M V
L B T E Y X D J O L C M I E E C A E P R
K E L U Z E A X O R M R M N M B N W A E
R E S X D B G W S E M M U O M T Y Z V B
C V S U N Y H D M U O T P T I E M P I M
G I W R B A S O E C N J O O I J L S E E
E E P J W M R A N L W O N I D N D O W M
N C P S E A I F N O W K T K S X I Y S E
I R J O T S U T G C U O X I P O O Z E R
M E U E R M P H T N T R N T C E P S E R
A P V R A C I Y T O F I V K Y E V R U S
X X O T D N E T T A A L F P C N Y E B O
E U C M F V X W J Q A V H Y K A W C I A
```

280

1. Rabwor	1. B·ARROW
2. Rdfrabdo	2. B·RADFORD
3. Gnbitrho	3. B·RIGHTON
4. Salecilr	4. C·ARLISLE
5. Ercwe	5. C·REWE
6. Odrve	6. D·OVER
7. Sigmybr	7. G·RIMSBY
8. Nllnico	8. L·INCOLN
9. Nltou	9. L·UTON
10. Onntaneu	10. N———
11. Xrofod	11. O·XFORD
12. Nrpoi	12. R·IPON
13. Bylassriu	13. S———
14. Untntoa	14. T———
15. Idwfelkea	15. W———
16. Uyemwoht	16. W———

TOWNS IN ENGLAND

A DOUBLE PUZZLE
Solve the clues to find the list of words hidden in the puzzle. The answers are in alphabetical order

```
W R E V O D T N O T H G I R B
U W D B L A L W N N Y L D G C
W K E L U Z E R I R I B Z J L
M I H N E Y L W J N L C J F B
N P T D M I M S C S S N T J C
T O Q O N K F O G K U U D F N
N W U O S A L E G I Q N R I I
K T T A A N H R K W W E O Z L
H U G E L S I L R A C A F L Q
L W M J I M W B D D W T D I D
X F V E S Z H H M Z S O A Y R
F W A B B W O R R A B N R F O
M S Y Y U W N D S S U T B I F
R E W E R C N P N O P I R F X
K E T Z Y D I S L Y V D V F O
```

281

RENEGADE

```
F  J  O  W  E  G  S  D  K  I  U  L  D  C  S
T  D  V  A  T  S  I  T  A  R  A  P  E  S  I
N  B  I  P  P  E  Y  R  T  R  T  D  V  C  R
E  I  R  S  U  O  E  W  O  C  O  O  O  W  E
D  M  N  Q  S  B  S  T  S  Y  X  N  P  Q  C
I  U  M  S  E  E  I  T  M  G  O  S  S  O  U
S  T  P  L  U  A  N  H  A  C  D  G  M  O  S
S  I  J  W  R  R  M  T  L  T  K  P  H  U  A
I  N  S  T  O  Z  G  A  E  Z  E  E  T  T  N
D  E  H  E  T  B  S  E  V  R  R  S  U  S  T
T  E  F  A  C  T  X  E  N  E  B  L  Z  I  J
E  R  O  W  E  H  T  I  T  T  R  O  U  D  T
W  E  O  T  F  I  S  I  U  S  K  I  A  E  U
D  V  B  A  E  P  C  Z  E  D  A  C  C  R  M
S  L  Y  I  D  R  E  Y  A  R  T  E  B  K  S
```

APOSTATE
BETRAYER
DEFECTOR
DISSENTER
DISSIDENT
HERETIC
ICONOCLAST
INSURGENT
MAVERICK
MUTINEER
OUTSIDER
REBEL
RECUSANT
SEPARATIST
TRAITOR

FOLLOWER

ADMIRER
CONVERT
DEVOTEE
DISCIPLE
FAN
PARTISAN

```
C  R  E  R  I  M  D  A  N  A  O
Z  O  K  X  T  N  R  R  A  A  S
J  H  N  W  R  U  R  E  R  X  N
L  A  V  V  F  O  L  P  B  L  N
L  E  J  D  E  P  A  P  P  N  D
K  L  C  B  I  R  S  B  Y  E  F
J  P  J  C  T  W  T  M  V  P  G
W  I  S  I  N  C  O  O  M  R  N
M  I  S  R  A  F  T  T  V  X  N
D  A  X  B  F  E  Q  I  G  X  Z
N  A  E  W  E  L  S  D  D  O  O
```

MONSTER

ABERRATION
BEHEMOTH
BROBDINGNAGIAN
COLOSSUS
CURIOSITY
DEVIL
DRAGON
FIEND
FREAK
GARGANTUA

GHOUL
GIANT
GOLIATH
GORGON
INCUBUS
LEVIATHAN
MAMMOTH
MASTODON
MONSTROSITY
NIGHTMARE

ODDITY
OGRE
PHENOMENON
SADIST
SPORT
TERROR
TITAN
TROLL
VAMPIRE
WONDER

```
H M I G D D E C H F Y E J H O E R G O N
M A A L H E C N S T I G W C B Y K W J D
W Q I N G O V M I P O E M M G K D B W G
R U Y I M A U I X G P M N K A E R F H G
A Q T D V O M L L Y H S E D I O H E A O
Y T I S O R T S N O M T C H B O Z U B R
A O D T S A Y H B V D U M D E V O U E G
B L D I P H Y Q A S R N I A P B I V R O
Z E O T O A I M A I O N P I R R U R R N
Q V X A R J P V O N G N N Y H E W O A S
P I Z N T I R S E N L C O T X O L R T A
P A O U R O I M A L U R A D N X Q R I D
X T F E C T O G O B U I L D O X F E O I
Y H T O Y N I R U G L O E F R T T T N S
S A I J E A T S I O G R R Z E E S K V T
T N T H N J O A G F A U T H A G R A G H
E K P Z X X N Y T B N O G A R D W L M E
X O I X X T T S S U S S O L O C F Z X K
```

283

AT THE WEDDING

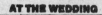

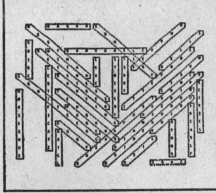

TIME

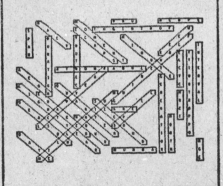

IMMACULATE

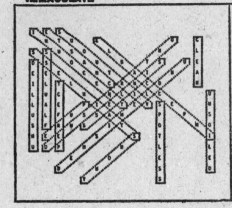

DIRTY

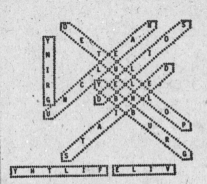

WITH THE BANKERS

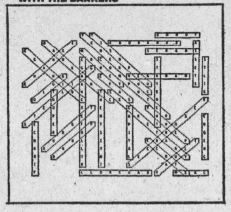

EMINENT

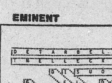
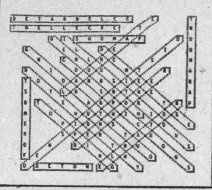

OBSCURE

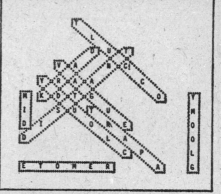

AMOUNTS REQUIRED

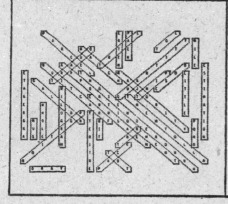

. FIGHT THE GOOD FIGHT

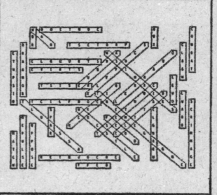

285

MAKE SMALLER

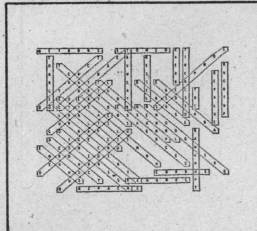

5. NOT ALONE

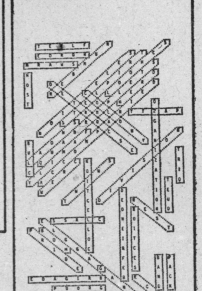

15. ALL AT SEA

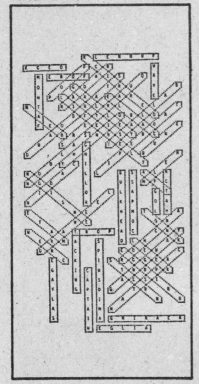

16. LEVY

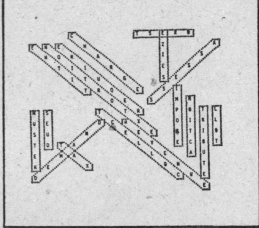

17. GIVE AWAY

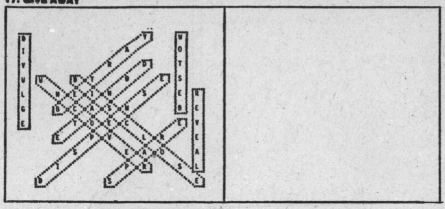

19. RAW

20. OBSERVE

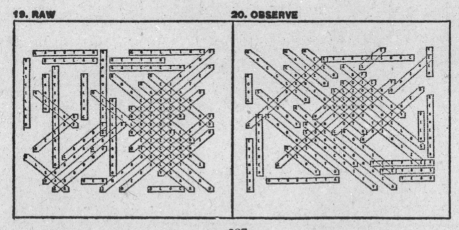

21. TOWNS IN ENGLAND

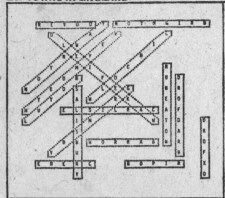

Barrow
Bradford
Brighton
Carlisle
Crewe
Dover
Grimsby
Lincoln
Luton
Nunsaton
Oxford
Ripon
Salisbury
Taunton
Wakefield
Weymouth

22. RENEGADE

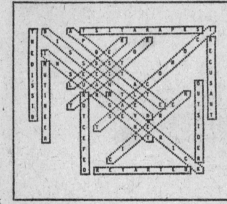

23. FOLLOWER

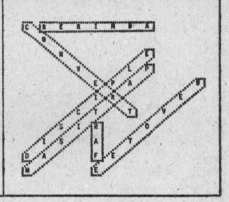

24. MONSTER

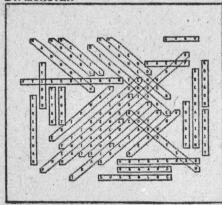

ONE PERSON,
66, SPRINGTOWN
DUNGANNON,
CO. TYRONE.
N. IRELAND.

288